DIE DEUTSCHEN und DIE ÖSTERREICHER

THE SCRIBNER GERMAN SERIES

General Editor, Harold von Hofe

UNIVERSITY OF SOUTHERN CALIFORNIA

DIE DEUTSCHEN und
DIE ÖSTERREICHER

A Graded Reader for Beginners

By **WERNER HAAS**   THE OHIO STATE UNIVERSITY

CHARLES SCRIBNER'S SONS   NEW YORK

Printed in the United States of America
SBN 684-41270-5
Library of Congress Catalog Card Number 77–100647

ACKNOWLEDGMENTS

Permission to reproduce photographs in this book has been
granted through the courtesy of the following:

PRESSE- UND INFORMATIONSDIENST DER
BUNDESREPUBLIK DEUTSCHLAND: 16, 29, 30, 43, 49, 73, 75
BILDARCHIV DER ÖSTERREICHISCHEN
NATIONALBIBLIOTHEK: 81
FOTO SCHIKOLA: 13, 35
PHOTO LÖBL: 33
WIENER PRESSE BILDDIENST VOTAVA: 45, 76, 77

Table of Contents

Preface

Die Deutschen und die Österreicher is a carefully graded reader for beginners in German. The idea for this text grew out of frequent questions which students have asked about Germany and Austria. I have attempted to answer some of them while taking into consideration the interests and the intellectual level of today's students. The intention of this reader is to combine information about the two most important German-speaking countries with serious and humorous observations and remarks about their people and their culture.

The diversified content of each chapter allows the use of different styles of expression (narrative, dialogue, discussion). A talk between the author and the reader takes place in the first two chapters. Chapter I comments on several clichés; chapter II is a discussion of historical developments, events, and fiction. Chapter IV tells in diary form the impressions of a young German who is revisiting Germany and Austria for the first time since his emigration to the New World. Chapter V concludes the reader with a short selection of jokes representing humor in Germany and Austria.

The first two chapters are written in the present tense (with a few exceptions), and the sentence structure is kept as simple as possible. The past tenses are introduced in the following chapters along with relative pronouns and reflexive verbs. No passive voice, subjunctive, or participial phrases are used in this reader, thereby making it possible to read this material quite early in a first-year course. The extensive use of cognates is deliberate, permitting easier and more fluent reading.

Questions and a variety of exercises follow each chapter and, in chapter III, each subdivision. They can be used for classroom work or written assignments. They apply the grammatical structures used in this book and also provide the basis for a vocabulary review.

Two kinds of vocabularies are offered in this text: a) German–English marginal glosses which give the meaning in specific contexts and aid the student with idioms and sentence structure; and b) a complete end vocabulary.

The author would like to express his sincere thanks to colleagues and students who have helped in the preparation of this book through their critical comments and valuable suggestions. He is especially indebted to Professor Gisela Vitt at The Ohio State University, and most of all to his wife.

Much appreciation goes to Miss Sigrid Lanzrath and the staff of Inter Nationes in Bad Godesberg, Germany, and to Dr. Thomas Nowotny of the Austrian Information Service in New York for their help in securing illustrations for this reader. The author is grateful to Inter Nationes and the Austrian Institute for kindly giving him permission to use their material for illustrative purposes.

W. H.

DIE DEUTSCHEN und DIE ÖSTERREICHER

I

Wie viele Klischees kennen Sie?

das Klischee
cliché

Die Deutschen lieben Soldaten, Sauerkraut und Fußball;
die Österreicher tanzen Walzer, essen Wiener Schnitzel und
gewinnen Schirennen. Die Deutschen arbeiten viel und
sparen ihr Geld; die Österreicher sitzen im Kaffeehaus und
leben vom Fremdenverkehr. Die Deutschen trinken viel
Bier und wandern gern; die Österreicher können jodeln und
tragen Lederhosen.

    Kennen Sie noch andere Klischees? Es gibt viele.
Klischees sind praktisch; man hört sie oft und vergißt sie
selten. Wenn man wenig zu sagen hat, aber etwas sagen will,
dann helfen die Klischees. Klischees beschreiben auch ein
Volk oder einen Staat; aber sie geben oft ein falsches Bild.
Gewiß, ein wenig Wahrheit kann man in vielen Klischees
finden; aber es sind oft nur halbe Wahrheiten. Manche
Klischees sind veraltet; sie zeigen die Welt von gestern, nicht
die heutige Zeit. Warum sind Klischees so populär? Viele
Leute wollen lieber etwas halb Wahres wissen als gar nichts.
Für diese Leute bleibt es dabei: die Deutschen lieben Soldaten, Sauerkraut und Fußball; die Österreicher tanzen Wal-
zer, essen Wiener Schnitzel . . .

    Erlauben Sie mir einen kurzen Kommentar zu diesen
Klischees.

    In Deutschland liebt man Soldaten nicht mehr und nicht
weniger als in anderen Ländern. Natürlich gibt es in Deutschland Soldaten — wo gibt es keine? Kennen Sie ein Land, wo

der Fußball *soccer*
das Wiener Schnitzel
  Viennese veal cutlet

sparen *to save*
der Fremdenverkehr
  tourist business

tragen *to wear*
die Lederhose *leather shorts*
es gibt *there are*

selten *seldom*

beschreiben *to describe*

gewiß *to be sure*
die Wahrheit *truth*

veraltet *outdated*
zeigen *to show*

lieber *rather*

erlauben *to permit*

nicht mehr *no more*

brauchen *to need*

weil *because*

leider *unfortunately*

die Welt *world*

leicht machen *to make it easy*

bekommen *to get*

genau so wie *just as*

kämpfen *to fight*

der Zuseher *spectator*

eigentlich *actually*

wie steht es mit *what about*

fleißig *diligent*

teuer *expensive*

monatlich *monthly*

es steht *it is (written)*

der Berg *mountain*

man keine Soldaten braucht? Man hat in Deutschland wieder Soldaten, weil man sie haben muß. Und nicht, weil man sie haben will. Aber vielleicht hört man vom deutschen Soldaten mehr als von den Soldaten anderer Länder. 5 „Leider" sagen dazu heute viele Deutsche. Sie wissen, daß man bei den Worten „deutscher Soldat" oft an den Militarismus denkt. Und dieser Militarismus ist bei den anderen nicht populär. „Die anderen", das ist die ganze Welt. Auch Hollywood zeigt immer wieder dieses Bild des deutschen 10 Soldaten: das Klischee des arroganten Offiziers, des wilden, ja brutalen Soldaten. Viele Deutsche wollen dieses Bild vergessen, aber man macht es ihnen nicht leicht.

Die Deutschen haben kein Monopol auf Sauerkraut. Der Name ist natürlich deutsch und das Sauerkraut kommt 15 aus Deutschland. Aber sie können es auch in den Restaurants anderer Länder bekommen. Also so typisch deutsch ist Sauerkraut gar nicht. Es ist heute international, genau so wie Coca Cola oder amerikanischer Ketchup.

Und wie ist es mit dem Fußball? Gewiß, dieser Sport 20 ist sehr populär in Deutschland. Aber fahren Sie einmal nach Südamerika! Dort spielt man diesen Sport noch enthusiastischer als in Deutschland (dort kämpfen nicht nur die Spieler, sondern oft auch die Zuseher!). Auch die „kühlen" Engländer sind große Fußballfanatiker; die 25 Deutschen sind eigentlich nur ihre Schüler.

Wie steht es mit dem Tanzen der Österreicher und den Wiener Schnitzeln? Glauben Sie mir, sie tanzen nicht immer (man arbeitet auch in Österreich, sogar sehr fleißig); und Wiener Schnitzel gibt es in den meisten österreichischen 30 Familien nur am Sonntag. Wiener Schnitzel sind teuer; und das monatliche Einkommen der österreichischen Familie liegt bei 150 Dollar.

Es ist richtig: die Österreicher gewinnen viele Schirennen. Das steht in allen Zeitungen. Und das ist kein Wunder, 35 denn das Schilaufen ist Volkssport in Österreich. Es gibt fast überall Berge, und im Winter gibt es viel Schnee. Die Bauernkinder laufen oft auf Schiern zur Schule, denn es gibt keinen Schulbus. Ja, Österreich hat viele gute Schiläufer.

Schigebiet bei Lech am Arlberg

Trotzdem gewinnen die Österreicher nicht alle Schirennen. Das tut ihnen natürlich leid; aber auch der patriotische Österreicher weiß, daß es in Frankreich, in der Schweiz, in Italien und auch in Amerika gute Schiläufer gibt. Wenn die Österreicher verlieren (nicht nur beim Schilaufen), dann sagen sie etwas philosophisch: ,,Da kann man nichts machen". Das heißt eigentlich ,,wir müssen etwas machen", nämlich das nächste Mal wieder gewinnen.

Die Deutschen sind sehr fleißig und arbeiten viel. Das ist eine Tatsache und eigentlich kein Klischee. Das sogenannte ,,Wirtschaftswunder" nach dem Zweiten Weltkrieg ist ein Beweis dafür. Aber wir müssen sagen, daß auch andere Nationen fleißig sind. Der Fleiß ist kein Monopol der Deutschen. Die Zahl der wöchentlichen Arbeitsstunden

trotzdem *nevertheless*
es tut ihnen leid *they are sorry*

verlieren *to lose*
da kann man nichts machen *one can't do anything about it*
das nächste Mal *the next time*

die Tatsache *fact*
sogenannt *so-called*
das Wirtschaftswunder *economic miracle*
der Beweis *proof*
die Zahl *number*
die Arbeitsstunde *working hour*

wichtig *important*
der Vergleich *comparison*

der Spruch *saying*
gelten *to be valid*
wirklich *really*
tragen *to carry*

nicht wahr *isn't it*

die Rate *installment
    payment*
bedeuten *to mean*

es ist fort *it is gone*
verloren *lost*

treffen *to meet*
die Neuigkeit *news*
gemütlich *cozy*

der Grund *reason*
die Wohnung *apartment*
besitzen *to own*

verbringen *to spend*
wie früher *as in former
    times*
der Roman *novel*

die Ruhe *peace*

brüllen *to roar*
kurzum *in short*
die Sitte *custom*

wird auch in Deutschland immer kleiner. „Freizeit" ist heute
auch für die Deutschen ein wichtiges Wort. Vielleicht kennen
Sie den folgenden Vergleich zwischen den Deutschen und
den Österreichern: Die Deutschen leben, um zu arbeiten;
5 die Österreicher arbeiten, um zu leben. Der zweite Teil dieses
Spruches gilt heute auch für die Deutschen.

Spart der Deutsche wirklich so viel? Ja, das Sparen ist
und war immer populär in Deutschland. Viele Leute tragen
wieder ihr erspartes Geld auf die Bank. Also ist dieses
10 Klischee richtig, nicht wahr? Nicht ganz, denn Statistiken
der letzten Jahre geben uns ein anderes Bild. Sie zeigen, daß
der Deutsche heute mehr auf Raten kauft als er spart. Das
Auto vor dem Haus bedeutet vielen Deutschen mehr als das
Geld in der Bank. Vielleicht denken viele so: mit dem Auto
15 fahre ich schon heute; wer weiß, ob ich das Geld in der Bank
morgen noch habe. Heute ist es dort, morgen ist es fort.
Zwei verlorene Kriege innerhalb von 30 Jahren vergißt man
nicht. Auch in Deutschland nicht!

Der Österreicher liebt den Kaffee und sitzt gern im
20 Kaffeehaus. Dort trifft er seine Freunde, dort spricht er
über die Neuigkeiten des Tages, dort liest er die Zeitung
und dort spielt er Karten. Im Kaffeehaus ist es gemütlich,
und Gemütlichkeit bedeutet dem Österreicher sehr viel.
Warum tut er das nicht zu Hause? Dafür gibt es einen
25 weniger „gemütlichen" Grund. In Österreich gibt es nicht
genug große und schöne Wohnungen (sehr wenige Österreicher besitzen ein eigenes Haus). Das Kaffeehaus gibt
vielen Leuten, was sie zu Hause nicht haben — oder nicht
haben können. Aber verbringt der Österreicher heute noch so
30 viel Zeit im Kaffeehaus wie früher? Ist das Kaffeehaus immer noch die österreichische Institution, wie es in Romanen
steht? Ein Motto des Österreichers heißt: Ich möchte meine
Ruh' haben. Diese Ruhe möchte er auch im Kaffeehaus
haben. Aber dies ist heute nicht immer möglich. In den
35 Kaffeehäusern ist es oft sehr laut. Die modernen Musik-
boxen brüllen, die Leute haben weniger Zeit (oder sie glauben, daß sie weniger Zeit haben). Kurzum, es ist nicht mehr
so gemütlich. Andere Zeiten, andere Sitten!

Leben die Österreicher wirklich vom Fremdenverkehr? Gewiß, der Fremdenverkehr ist eine wichtige Industrie in Österreich. Er hilft sogar Lederhosen verkaufen. Menschen aus allen Ländern der Welt fahren gern nach Österreich, dent es ist ein schönes und kulturreiches Land. Die 5 Touristen loben auch die Gastfreundschaft, den Charme und die Gemütlichkeit des Österreichers. Solche Qualitäten helfen zweifellos, viele Besucher Jahr für Jahr ins Land zu bringen. Aber vom Fremdenverkehr „lebt" man nicht, man muß auch etwas dafür tun. Schöne Berge, alte Kir- 10 chen und Gemütlichkeit sind kein Ersatz für Arbeit. Und vom Walzertanzen und Jodeln leben nur wenige Österreicher.

    Bier ist ein beliebtes Getränk in Deutschland, das weiß jeder. Es gibt heute in Westdeutschland 2000 Brauereien, davon 1300 in Bayern. Was sagt man in Bayern: Durst ist 15 schlimmer als Heimweh. Aber wissen Sie auch, daß die Deutschen nicht die stärksten Biertrinker der Welt sind? Die Belgier, die Iren und noch andere Nationen trinken pro Person mehr Bier als die Deutschen. Freilich, die Deutschen sagen: wir trinken zwar nicht das meiste Bier, aber das 20 beste. Das ist natürlich Bierchauvinismus, aber dieser Chauvinismus ist nicht gefährlich.

    Was ist zur Wanderlust der Deutschen zu sagen? Ja, es gibt viele deutsche Lieder über die Wanderlust. Zum Bei- spiel, „Das Wandern ist des Müllers Lust" oder „muß i 25 denn, muß i denn zum Städtele naus".[1] Diese Lieder be- singen das deutsche Leben vergangener Zeiten, die Zeit vor dem Auto ... Heute sind die Wälder, Felder und Wiesen auch noch schön, aber wer wandert noch? In den schönen Wäldern Deutschlands findet man heute mehr Autofahrer als 30 Wanderer. Das ist zwar nicht so romantisch wie in den Liedern, aber modern. Deutschland ist heute wieder ein reiches Land; das „Wandern" mit dem Auto gehört zum Leben in einem reichen Land. „Leider" sagen dazu viele Deutsche; und dann steigen sie in ihr Auto und fahren in 35 die Wälder!

---

[1] schwäbischer Dialekt für „muß ich denn, muß ich denn zum Städtlein hinaus"

verkaufen	*to sell*
loben	*to praise*
zweifellos	*doubtless*
der Besucher	*visitor*
der Ersatz	*substitute*
das Getränk	*beverage*
die Brauerei	*brewery*
der Durst	*thirst*
das Heimweh	*homesickness*
freilich	*of course*
gefährlich	*dangerous*
das Lied	*song*
zum Beispiel	*for example*
vergangen	*past*
die Wiese	*meadow*
gehören	*to belong*
steigen	*to climb*

Biertrinker im Münchner Hofbräuhaus

schließlich *finally*

besondere Art *special kind*

die Kunst *art*

übrigens *by the way*

suchen *to search*

gern haben *to like*

der Junge *boy*
zerreißen *to tear to pieces*
mehrere *several*

usw (=und so weiter)
and so forth

flicken *to mend*

Schließlich noch ein Wort zu den Klischees des Jodelns und der Lederhosen. Jodeln ist eine besondere Art des Singens, eine besondere Kunst. Viele Leute können singen, aber nur wenige können jodeln (übrigens, manche
5 Leute können jodeln, aber nicht singen). Sie müssen lange suchen, bis Sie einen guten Jodler finden, auch in Österreich. Aber Jodler gibt es nicht nur in Österreich. In Texas jodeln auch manche Cowboys, sie jodeln nur anders.

Und wie ist es mit den Lederhosen? Mütter haben es
10 gern, wenn ihre Kinder Lederhosen tragen, besonders die Jungen. Warum? Lederhosen sind stark und zerreißen nicht leicht. So stark ist eine gute Lederhose, daß sie mehrere Generationen in einer Familie bleibt. Der Großvater gibt sie dem Vater, der Vater dem Sohn usw. Eine Lederhose
15 braucht man nicht zu waschen und nicht zu flicken; man

braucht nur jede Generation neue Knöpfe. Aber noch etwas
anderes zum Thema Lederhosen: sie sind sehr schwer und
an heißen Tagen schwitzt man darin. Kein Wunder, daß
auch die österreichischen Kinder lieber leichtere Hosen
tragen, wenn es heiß ist. Die moderne Textilindustrie pro- 5
duziert leichte, aber doch starke Stoffe. Diese Stoffe machen
heute den Lederhosen Konkurrenz. Aber die Fabrikanten
der Lederhosen brauchen keine Angst zu haben: sie machen
noch immer ein gutes Geschäft. Wenn nicht mit den österreichischen Müttern, dann mit den amerikanischen Tou- 10
risten. Jedes Jahr reisen viele Amerikaner nach Österreich
und kaufen Lederhosen für die ganze Familie; für den
Vater, für die Söhne, ja manchmal sogar für die Töchter.
Aber tragen Sie einmal eine Lederhose an einem heißen
Tag in Texas oder Kansas ... 15

Wenn man von Ländern spricht, denkt man besonders
an seine Menschen. Sind die Deutschen und Österreicher
einander ähnlich oder sind sie verschieden? Da sind wir
schon mitten im Thema unseres Büchleins. Hier muß man
sofort fragen: Kann man überhaupt von „den Deutschen“ 20
und „den Österreichern“ sprechen?

Viele sind gegen solche Verallgemeinerungen. So glaubt
zum Beispiel der bekannte Schweizer Dichter Max Frisch,
daß es „die Deutschen“ und „die Österreicher“ gar nicht
gibt. Für ihn gibt es nur deutsche und österreichische Staats- 25
bürger (er denkt genau so über „die Russen“, „die Franzosen“ usw.). Wer also gegen solche Verallgemeinerungen
ist, sagt folgendes: nur die einzelnen Menschen sind
verschieden, nicht die Menschen als nationale Gruppen.

Andere sind nicht dieser Meinung. Sie sagen, daß die 30
Gemeinschaft eines Staates die Menschen formt; sie
glauben, daß diese Gemeinschaft den Staatsbürgern gemeinsame Charakterzüge gibt. Diese zweite Gruppe glaubt also
an „den deutschen Fleiß“ und „die österreichische Gemütlichkeit“ (vielleicht auch an „den deutschen Militarismus“ 35
und „die österreichische Schlamperei“).

Wer hat recht? Darüber kann man diskutieren. Daß
Klischees nur ein Teil der Wahrheit sind, ist wohl sicher.

der Knopf *button*
das Thema *topic*
schwitzen *to perspire*
die Hose *pants*

der Stoff *material*
der Fabrikant *factory owner*
Angst haben *to be afraid*
das Geschäft *business*

ähnlich *similar*

überhaupt *at all*

die Verallgemeinerung *generalization*
der Dichter *playwright*

der Staatsbürger *citizen*

einzeln *individual*

die Meinung *opinion*

die Gemeinschaft *community*
der Charakterzug *trait*

die Schlamperei *sloppiness*

der Teil *part*
wohl *no doubt*

urteilen *to judge*	Wenn wir hier von den Deutschen und den Österreichern
	sprechen, dann wollen wir nur vergleichen, nicht urteilen.
seien wir ehrlich *let's be honest*	Seien wir doch ehrlich: Wer kann sagen, ob Sauerkraut oder
schmecken *to taste*	Wiener Schnitzel besser schmeckt; wer kann sagen, ob für

5 unser „Saturday" das bessere Wort „Sonnabend" (so sagt
man in Norddeutschland) oder „Samstag" (so sagt man in

der Unterschied *difference* — Österreich) ist. Das sind Unterschiede, keine Urteile.

Wenn man vergleicht, fragt man auch gern. So zum
Beispiel, warum sind Deutschland und Österreich nicht ein

die Grenze *border* — 10 Land? Warum gibt es politische Grenzen zwischen diesen
beiden Staaten? Die Menschen in Deutschland und Öster-
reich sprechen dieselbe Sprache, sie lesen dieselbe Literatur.

trennen *to separate* — Was trennt also die beiden Länder?

Vielleicht stellen Sie diese Frage, denn Sie sind Student
15 (oder Studentin) und lernen seit kurzer Zeit Deutsch. Wer

wahrscheinlich *probably* — Deutsch studiert, hat wahrscheinlich auch ein Interesse für

die Geschichte *history*
das Sprachgebiet
linguistic region
ziemlich *fairly*

die Geschichte, die Politik — und die Menschen des deutschen Sprachgebietes. Ihre Frage ist eine logische Frage;
aber sie ist ziemlich kompliziert, wie wir später sehen werden.
20 Man muß etwas über die Geschichte der Deutschen und
der Österreicher wissen, um diese Teilung in zwei Staaten
zu verstehen.

Erlauben Sie mir noch diesen letzten „Kommentar zum
Kommentar": Heute lesen Sie nur über diese beiden größten
25 Staaten im deutschen Sprachgebiet.[2] Ich hoffe, daß Sie

die Gelegenheit *opportunity* — später selbst Gelegenheit haben, nach Deutschland und

kennen-lernen *to become acquainted*

Österreich zu reisen. Man lernt andere Länder und ihre Menschen besser kennen, wenn man sie selbst besucht. Aber am
besten ist es, wenn man in einem fremden Land arbeitet

bald *soon* — 30 und mit seinen Menschen lebt. Dann weiß man sehr bald,
was Klischee und was Wirklichkeit ist.

beziehungsweise *respectively* — [2] Deutsch bzw. (= beziehungsweise) deutsche Dialekte spricht man auch
in Teilen der Schweiz, in Liechtenstein, in Luxemburg und in Südtirol.

ÜBUNGEN UND FRAGEN

A. Üben Sie (*practice*) die Aussprache (*pronunciation*) der folgenden Wörter: (Note: Since most of them are words of foreign origin, the accent is often not on the root syllable as in most German words.)

das Klischée	die Philosophíe
das Wiener Schnitzel	die Statístik
der Charákter	die Institutión
populär	der Román
der Soldát	die Industríe
der Militarísmus	jodeln
das Monopól	die Qualität
arrogánt	die Literatúr
enthusiástisch	diskutíeren
patriótisch	der Kommentár
der Touríst	

B. Fragen:
  1. Was lieben die Deutschen?
  2. Warum sind manche Klischees veraltet?
  3. Woher kommt das Sauerkraut?
  4. Warum ist das Schilaufen in Österreich so populär?
  5. Welchen Vergleich zwischen den Deutschen und den Österreichern kennen Sie?
  6. Was liebt der Österreicher?
  7. Warum fahren die Touristen gern nach Österreich?
  8. Was wissen Sie über Lederhosen?
  9. Wie „wandern" die Deutschen heute?
  10. Welche Sprache spricht man in Deutschland und Österreich?

C. Beachten Sie (*note*) die folgenden Redewendungen (*idiomatic expressions*) und verwenden Sie (*use*) jede in einem Satz:
  1. es bleibt dabei   *that's settled*
  2. wie steht es (mit dem Tanzen)   *what about (dancing)*
  3. es steht in der Zeitung   *it is (written) in the newspaper*
  4. da kann man gar nichts machen   *one can't do anything about it*
  5. ich möchte meine Ruhe haben   *I wish to be left alone*

D. Ergänzen Sie (*complete*) in den folgenden Sätzen die richtige Verbform des Präsens.

Beispiel: Der Deutsche _____ Bier (lieben).
Der Deutsche liebt Bier.

1. Die Deutschen _____ Soldaten. (lieben)
2. Ich _____ gern Wiener Schnitzel. (essen)
3. Du _____ es selten. (vergessen)
4. Wir _____ Fußball. (spielen)
5. Sie _____ nichts. (wissen)
6. Sie (*she*) _____ viel. (wissen)
7. Er _____ nach Südamerika. (fahren)
8. Ihr _____ im Kaffeehaus. (sitzen)
9. Man _____ fleißig in Deutschland. (arbeiten)
10. Du _____ Lederhosen. (tragen)

E. Setzen Sie (*put*) die folgenden Sätze in die Frageform:

Beispiele: Die Deutschen arbeiten viel.
Arbeiten die Deutschen viel?

Die Österreicher können jodeln.
Können die Österreicher jodeln?

1. In Deutschland gibt es Soldaten.
2. Viele Deutsche wollen dieses Bild vergessen.
3. Die Österreicher tanzen gern.
4. Wenige Österreicher können jodeln.
5. Die Menschen in Deutschland und Österreich sprechen dieselbe Sprache.

F. a) Setzen Sie die folgenden Sätze in den Singular:

Beispiel: Die Deutschen lieben Sauerkraut.
Der Deutsche liebt Sauerkraut.

1. Die Österreicher sitzen im Kaffeehaus.
2. Die Deutschen haben kein Monopol auf Sauerkraut.
3. Die Touristen lieben die Gastfreundschaft.
4. Diese Lieder besingen das deutsche Leben.
5. Die Lederhosen sind stark.

b) Setzen Sie die folgenden Sätze in den Plural:

Beispiel: Du kennst das Land.

         Ihr kennt die Länder.

1. Ich wandere gern.
2. Der Deutsche spart viel.
3. Das Auto steht vor dem Haus.
4. Der Großvater kauft eine Lederhose.
5. Er stellt eine Frage.

G. Ersetzen Sie das unterstrichene Substantiv (*underlined noun*) durch ein Pronomen (*pronoun*):

Beispiel: Viele Deutsche wollen dieses Bild vergessen.

         Viele Deutsche wollen *es* vergessen.

1. Das Sauerkraut kommt aus Deutschland.
2. Die kleinen Kinder lernen das Schilaufen.
3. Kennen Sie den Vergleich.
4. Das Sparen ist populär.
5. Der Vater gibt sie dem Sohn.

H. a) Ergänzen Sie die richtige Form des Modalverbums:

Beispiel: Man _____ Soldaten haben. (müssen)

         Man muß Soldaten haben.

1. Ich _____ etwas machen. (müssen)
2. Du _____ Bier trinken. (wollen)
3. Er _____ mit dem Auto fahren. (mögen)
4. Wir _____ singen. (können)
5. Ihr _____ Lederhosen tragen. (sollen)
6. Sie _____ vergleichen. (dürfen)
7. Sie (she) _____ sprechen. (dürfen)

b) Ich will etwas sagen. — *I want to say something.*

   Wie sagt man?

1. We want to say something.
2. You want to say something.
3. One wants to say something.

4. They want to say something.

5. He wants to say something.

c) Verwenden Sie „müssen, können, sollen, mögen" wie in Übung „b."

I. Verwenden Sie die folgenden Verben + „gern" in vollständigen Sätzen (*complete sentences*). Verwenden Sie verschiedene Pronomen (ich, du, etc.).

Beispiele: Ich esse gern Wiener Schnitzel.

Du wanderst gern, etc.

trinken, tanzen, helfen, gewinnen, sparen, sitzen, fahren, tragen, vergleichen.

II

Kleine deutsch-österreichische Geographie — nicht ganz unpolitisch

Wo beginnen wir am besten mit unserem Vergleich? Vielleicht ist die Geographie ein guter Anfang. Man kann sachlich bleiben und mit Statistiken arbeiten. Ja, das ist richtig, solange wir von Bergen, Flüssen und vom Klima sprechen. Aber vergessen wir nicht: zur Geographie gehören auch 5 Menschen und Grenzen. Und wenn man von Menschen und Grenzen spricht, dann ist es nicht immer leicht, objektiv zu bleiben. Erlauben Sie daher, daß wir in dieser „Geographie" Tatsachen und Meinungen nebeneinander stellen. 10

der Anfang *beginning*
sachlich *objective*

der Fluß *river*

daher *therefore*
nebeneinander *next to each other*

Deutschland

Wer die Deutschen sind, weiß jeder (oder glaubt es zu wissen). Aber wo Deutschlands Grenzen sind — oder sein sollen — das ist schon schwerer zu beantworten. Deutschland ist heute kein klarer geographischer Begriff. Seit dem Ende des Zweiten Weltkrieges (1945) gibt es nämlich zwei deutsche 15 Staaten: die Deutsche Bundesrepublik, das ist Westdeutschland, und die Deutsche Demokratische Republik, das ist Ostdeutschland. Jeder dieser beiden deutschen Staaten sagt: wir sind das wirkliche Deutschland; die anderen Deutschen da „drüben" sind nur Satelliten. Und warum gibt es heute 20 zwei Deutschland? Ja, da sind wir schon mitten in der Politik und nicht mehr bei der Geographie.

der Begriff *concept*

drüben *over there*

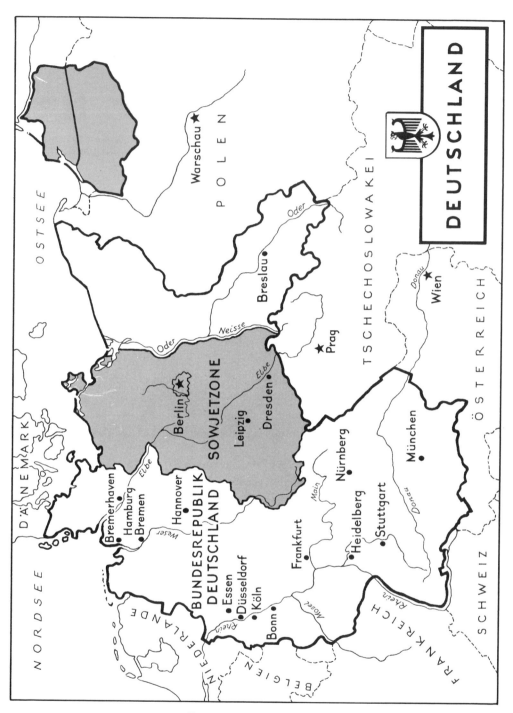

Soll es so bleiben?

Für die Teilung Deutschlands gibt es zwei Hauptgründe: den verlorenen Krieg und den „Kalten Krieg" zwischen den demokratischen Mächten des Westens und den kommunistischen Staaten des Ostens. Seit dem Jahre 1945 spricht man zwar oft von der Wiedervereinigung Deutschlands, aber es geschieht nichts. Die großen Mächte der Welt können oder wollen an dieser Teilung nichts ändern. Oder gibt es eine andere Erklärung? Kennen Sie die etwas sarkastische Bemerkung eines Engländers? „Wir lieben Deutschland so sehr, daß wir zwei davon haben wollen..." 10

Bei den Differenzen zwischen West- und Ostdeutschland denkt man an das Sprichwort: Wenn sich zwei streiten, freut sich der Dritte. Vielleicht freut sich in diesem Fall nicht nur der Dritte; vielleicht freuen sich noch andere, auch wenn sie es nicht offen sagen. Manche Europäer 15 denken heute noch so wie der französische Politiker Clemenceau vor einem halben Jahrhundert: Ein großes und mächtiges Deutschland ist ein gefährliches Deutschland.

Wie groß ist das heutige Deutschland? Die Bundesrepublik im Westen hat eine Fläche von 247.978 Quadrat- 20 kilometer, das ist ungefähr die Größe Großbritanniens oder des amerikanischen Bundesstaates Oregon. In Westdeutschland leben ungefähr 60 Millionen Menschen. Ostdeutschland hat eine Fläche von 114.000 qkm mit einer Bevölkerung von ungefähr 18 Millionen Menschen. Ostdeutschland ist also 25 das kleinere Deutschland. Oder nicht? Kennen Sie den bitteren Witz: Manche Ostdeutschen glauben, daß sie heute das größte Land der Welt sind. Warum? Sie sagen: Ostdeutschland beginnt an der Elbe und seine letzten Einwohner wohnen in Sibirien... 30

Wenn wir sachlich bleiben, dann sind die beiden Deutschland zusammen ungefähr halb so groß wie der amerikanische Bundesstaat Texas.

Deutschland ist heute viel kleiner als vor dem Zweiten Weltkrieg. Ostpreußen und die Gebiete östlich der Flüsse 35 Oder und Neiße gehören jetzt teils zu Rußland, teils zu Polen. Was sagte Adolf Hitler zu den Deutschen vor dem Krieg: „Wir können auf so kleinem Raum nicht leben; das

---

der Hauptgrund *main reason*

die Macht *power*

zwar *to be sure*
die Wiedervereinigung *reunification*
geschehen *to happen*
ändern *to change*

die Erklärung *explanation*

die Bemerkung *remark*

das Sprichwort *saying*
sich streiten *to quarrel*
der Fall *case*

die Fläche *area*
ungefähr *approximately*
die Größe *size*

die Bevölkerung *population*

der Witz *joke*

die Elbe *Elbe (river)*
der Einwohner *inhabitant*

Ostpreußen *East Prussia*
das Gebiet *region*

der Raum *area*

je zuvor *ever before*	deutsche Volk braucht mehr Lebensraum." Heute leben im kleineren Deutschland mehr Menschen als je zuvor, und sie leben besser. Hier denkt man an einen Witz aus dem Zweiten Weltkrieg. Damals fragte ein deutscher Politiker einen

deutsche Volk braucht mehr Lebensraum." Heute leben im kleineren Deutschland mehr Menschen als je zuvor, und sie leben besser. Hier denkt man an einen Witz aus dem Zweiten Weltkrieg. Damals fragte ein deutscher Politiker einen
5 anderen: „Was tust du nach dem Krieg?" — „Ich fahre
mit dem Rad durch Deutschland." — „Und was tust du
am Nachmittag?"

das Rad bicycle
der Nachmittag afternoon

Deutschland ist Europas „Land der Mitte". Seine
südlichen Grenzen liegen am 47. Breitengrad, seine nörd-
10 lichen am 55. Breitengrad. Die südlichen Gebiete liegen also
ungefähr auf der Höhe Quebecs oder Seattles, die nörd-
lichen haben den Breitengrad Labradors oder Moskaus.

der Breitengrad latitude

Der Norden Deutschlands ist meistens flach und
grenzt an zwei Meere, die Nordsee und die Ostsee. Wo es
15 flach ist, sieht man weiter; man sieht die Nachbarn besser,
nicht nur optisch. Man blickt weiter in die Ferne, ist also
„weitblickender". Die zwei Hafenstädte Hamburg und Bre-
men sind Deutschlands Tor in die Welt. Wenn es einen deutschen Kosmopolitismus gibt, dann ist er dort zu Hause.

das Meer ocean, sea
der Nachbar neighbor
blicken *to see*
die Hafenstadt port

20 Die ostdeutschen Politiker sind auch froh, daß der
Norden Deutschlands flach ist. Aber aus einem anderen
Grund: man kann die Menschen leichter sehen, wenn sie
über den Stacheldraht und über die Minenfelder nach dem
Westen wollen. Man kann besser auf sie schießen und trifft
25 sie leichter.

froh *glad*

der Stacheldraht barbed
  wire
das Minenfeld mine field
schießen *to shoot*
treffen *to hit*

Berlin ist noch immer die größte Stadt Deutschlands,
aber nicht mehr die Hauptstadt Deutschlands. Die Regierungen West- und Ostdeutschlands sitzen seit 1949 in Bonn
bzw.[1] Pankow (Pankow ist ein Teil Ostberlins). Seit dem 13.
30 August 1961 hat Berlin eine der traurigsten Sehenswürdig-
keiten Europas: die Mauer. Sie ist ein Symbol des geteilten
Deutschlands. Sie trennt Deutsche von Deutschen — und
das inmitten der früheren Hauptstadt. Seit dem Bau der
Mauer ist Ostdeutschland „fluchtsicher". 544 Kilometer
35 lang ist die Zonengrenze zwischen den beiden deutschen
Staaten; das sind 544 km Stacheldraht, Mauer und Minen-

die Regierung government

die Sehenswürdigkeit
  spectacle
die Mauer wall
trennen *to separate*
früher *former*
fluchtsicher *safe from escape*

[1]bzw. = beziehungsweise

felder. Man nennt Ostdeutschland nicht zu Unrecht das
„größte Gefängnis" Europas.

    Im mittleren Teil Deutschlands gibt es mehrere „Mittel-
gebirge", das sind Gebirge mittlerer Höhe (bis etwa 1400   das Gebirge   *mountain range*
Meter). Die höchsten Berge Deutschlands liegen im Süden 5
der Bundesrepublik; sie gehören zu den Alpen und bilden die   bilden *to form*
Grenze zwischen Deutschland und Österreich. Nur ein
kleiner Teil der schönen Alpen liegt auf deutschem Gebiet.
Dem deutschen Fremdenverkehr tut das leid; der österreichische hat nichts dagegen.   10

    Die großen Flüsse Deutschlands (Rhein, Ems, Weser,
Elbe, Oder) fließen alle von Süden nach Norden. Eine
Ausnahme ist die Donau; sie entspringt in Deutschland und   die Ausnahme *exception*
fließt dann durch Österreich nach dem Südosten. Flüsse sind
mehr als fließende Wasser; sie sind Symbole der Politik 15

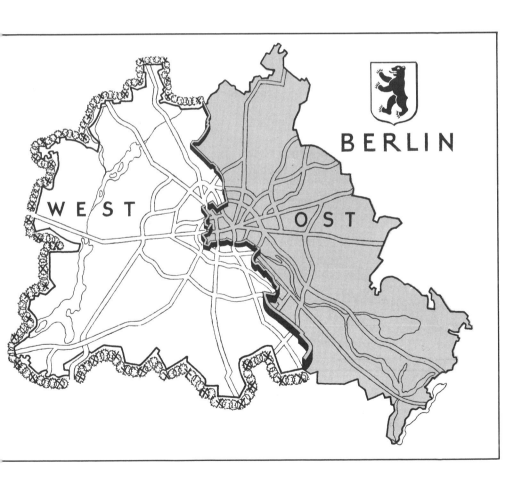

	und der Kunst. Die Deutschen besingen den Rhein als *ihren* Fluß, Österreicher tanzen zu *ihrem* „Donauwalzer" (das ist ein berühmter Walzer von Johann Strauß, dem österreichischen „Walzerkönig"). Vielleicht sind die Deutschen
	5 politischer orientiert als die Österreicher. Wie beginnt ein patriotisches Lied über den Rhein? „Sie sollen ihn nicht haben, den Rhein, den deutschen Rhein . . ."; „sie", das
der Franzose *Frenchman* werben *to make propaganda*	sind die Franzosen, „ihn", das ist der Rhein. Die Worte des Donauwalzers werben für den Fremdenverkehr: „Die
farbenblind *color blind*	10 Donau so blau, so blau, so blau . . ." Da muß man fragen: Wer ist farbenblind? Wenn Sie nach Wien kommen, dann suchen Sie bitte die „blaue" Donau. Sie ist schwer zu finden, denn sie ist meistens braun. Aber Künstlern erlaubt
der Künstler *artist* die Freiheit *liberty*	man solche Freiheiten.
	15 Klimatisch ist Deutschland auch ein Land der Mitte. Extreme Temperaturen sind selten (in der deutschen Politik war dies nicht immer der Fall). Im Winter liegen die Durch-
die Durchschnittstemperatur *average temperature*	schnittstemperaturen um Null Grad Celsius (32 Grad Fahrenheit), im Sommer zwischen 16–20 Grad Celsius. Aber
	20 wie in anderen Ländern, so ist man auch in Deutschland selten mit dem Wetter zufrieden. Es ist den Leuten entweder
zufrieden *satisfied* entweder . . . oder *either . . . or* feucht *humid* wolkig *cloudy*	zu kalt oder zu warm, zu trocken oder zu feucht, zu sonnig oder zu wolkig. Mit dem Wetter ist es wie mit der Politik: die Menschen sind selten damit zufrieden.
	25 Deutschland ist ein ziemlich waldreiches Land. Etwa 28% der Fläche der Bundesrepublik ist Wald. Viele Lieder besingen den „deutschen Wald", viele Dichter Deutschlands schreiben über die Wälder ihrer Heimat. Die Deut-
die Heimat *homeland* pflegen *to take care of* die Erholung *rest*	schen lieben und pflegen ihre Wälder. In seinen Wäldern 30 sucht der Deutsche Ruhe und Erholung. Freilich, in den Wäldern an der Grenze zwischen Ost - und Westdeutschland suchen heute Deutsche aus dem Osten noch etwas
der Flüchtling *refugee*	anderes: die Freiheit. Man macht es den Flüchtlingen aus Ostdeutschland nicht leicht, sie zu finden. In diesen Wäl-
	35 dern gibt es Stacheldraht und Minenfelder. Und wenn ost-
der Grenzer *border guard* der Schuß *shot* die Bodenschätze *natural resources*	deutsche Grenzer Flüchtlinge sehen, dann gibt es weder Ruhe noch Erholung im Wald. Dann hört man Schüsse. Welche Bodenschätze hat Deutschland? Zu den wichtig-

Blick von der Burg Gutenfels am Rhein

sten gehören Kohle im Ruhrgebiet und in Mitteldeutschland. Man braucht heute in Deutschland nicht mehr so viel Kohle wie vor 50 Jahren, denn Öl und Elektrizität sind modernere Energiequellen. Aber 80% der Elektrizität gewinnt man heute noch in Deutschland aus Kohle. 5 Daher spielt die gute, alte Kohle immer noch eine große Rolle. Von seinem Ölbedarf kann Deutschland nur 17% decken. Es gibt nur wenige und kleine Ölfelder in Hannover und in Schleswig-Holstein.

„Die Mutter aller Politik ist die Geographie", sagte 10 einmal Napoleon I. Die Geographie bestimmt das nationale Schicksal eines Volkes, bestimmt seine nationale und internationale Politik. Das gilt auch für Deutschland, vielleicht besonders für Deutschland. Land der Mitte zu

die Kohle *coal*
das Ruhrgebiet *Ruhr district*
das Öl *oil*
die Energiequelle *source of energy*

der Ölbedarf *oil requirement*
decken *to cover*

bestimmen *to determine*
das Schicksal *fate*

Deutsch-österreichische Grenze an der Autobahn (*Kiefersfelden*)

sein, ist nicht unproblematisch. Das wissen die Deutschen
sehr gut, vielleicht zu gut. „In goldener Mitte wohnest du"
schreibt der Dichter Friedrich Hölderlin über Deutschland.
Ist diese Mitte wirklich so „golden"? Wer in der Mitte
5 wohnt, hat viele Nachbarn. Deutschland hat mehr Nachbarn
als irgendein anderes Volk in Europa. Leider sind Nachbarn nicht immer freundlich zueinander. Die Geschichte
Deutschlands weiß viel darüber zu erzählen. Und man muß
leider sagen: Deutschland war auch nicht immer ein freund-
10 licher Nachbar.

    Heute sind Deutschland und Österreich gute Nachbarn;
aber das war nicht immer so. Darüber müssen wir noch
sprechen. Doch das gehört nicht zur Geographie. Oder
doch? Es ist wichtig zu wissen, wer von Nachbarn spricht:
15 Generäle sehen die Nachbarn ihres Landes anders als
Künstler.

irgendein *any*

erzählen *to tell*

Österreich

Österreich ist auch ein Land der Mitte; es liegt nur etwas südlicher (dort soll es auch wärmer und gemütlicher sein). Vom geteilten Deutschland grenzt nur die Bundesrepublik an Österreich. Die anderen Nachbarn Österreichs sind im Osten die Tschechoslowakei und Ungarn, im Südosten 5 Jugoslawien, im Süden Italien und im Westen Liechtenstein und die Schweiz.

Österreich ist seit dem Ende des Ersten Weltkrieges (1918) ein ziemlich kleines Land. Es hat etwa die Größe des amerikanischen Bundesstaates Maine und eine Bevölkerung 10 von etwa 7 Millionen. Wenn ältere Leute von dem großen Österreich sprechen, dann denken sie an die Zeit vor 1918. Damals waren einige der heutigen Nachbarn ein Teil Österreichs (Ungarn, die Tschechoslowakei, Jugoslawien, Teile Italiens); seit 1918 sind diese Länder selbständige Staaten. 15 In einem Gedicht von Wilhelm Busch heißt es: Vater werden ist nicht schwer, Vater sein dagegen sehr. In Analogie zu diesem Gedicht kann man über manche dieser Staaten sagen: Selbständig werden war nicht schwer, selbständig sein dagegen sehr. 20

damals   *then*

(das) Ungarn   *Hungary*

selbständig . *independent*

das Gedicht   *poem*
heißen   *it is said*

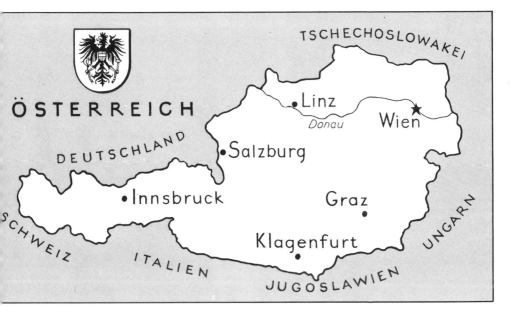

der See *lake*
die Bundeshymne *national anthem*
herrlich *beautiful*
das Tal *valley*
bedecken *to cover*
teilweise *partly*
der Gipfel *peak*

sofort *at once*

vor allem *above all*

einst *once*
der Nationalitätenstaat *state comprised of different nationalities*

übergroß *oversized*

stolz *proud*

betonen *to stress*

die Wichtigkeit *importance*

unbeliebt *unpopular*

„Land der Berge, Land der Seen . . .", so beginnt die österreichische Bundeshymne. Ja, Österreich ist ein Land hoher Berge, schöner Seen und herrlicher Täler. Die Alpen bedecken einen großen Teil des Landes; nur an seinen öst-
5 lichen Grenzen ist Österreich teilweise flach. Über dreißig Gipfel Österreichs sind mehr als 3400 Meter hoch. Wenn man auf diesen Gipfeln steht, vergißt man wie klein dieses Land ist. Wer aber immer im Tal bleibt, sieht nicht viel von dieser Welt. Nicht alle Österreicher steigen auf die hohen
10 Gipfel.

Wenn ein Amerikaner von Österreich spricht, denkt er sofort an Wien. Für ihn sind Österreich und Wien fast Synonyme. „Oh, Sie kommen aus Österreich, Sie sind also Wiener", das hören viele Österreicher. Vor allem, wenn sie
15 nach Amerika kommen und mit Amerikanern sprechen. Natürlich ist nicht jeder Österreicher Wiener, aber fast jeder dritte Österreicher lebt in der Hauptstadt Wien. Warum hat ein so kleines Land eine so große Hauptstadt? Diese geographische Tatsache kann nur die Geschichte erklären.

20 Wien war einst das Zentrum einer Großmacht, die Hauptstadt eines Nationalitätenstaates mit etwa 49 Millionen Menschen. Heute ist die Größe Wiens ein Anachronismus, aber auch eine Tatsache. Die Österreicher müssen jetzt „wohl oder übel" (wir sagen: *for better or worse*) damit
25 leben.

Wie denken die Österreicher über ihre übergroße Hauptstadt? Darüber gibt es geteilte Meinungen. Die einen (das sind vor allem die Wiener) sind stolz darauf, daß das kleine Österreich eine so große und berühmte Hauptstadt hat.
30 Sie loben das kulturelle Leben Wiens; sie betonen, daß Wien das industrielle, politische und wirtschaftliche Zentrum Österreichs ist. Für sie ist Wien noch heute ein Symbol der früheren Größe und Macht ihres Landes; ihnen kann Wien gar nicht groß genug sein. „Wien, Wien nur du
35 allein . . ." heißt es in einem bekannten Lied.

Wenn die Wiener die Wichtigkeit ihrer Stadt zu sehr betonen, machen sie sich bei den anderen Österreichern unbeliebt. Diese „anderen" sehen manchmal in Wien den

Plansee in Tirol

„Wasserkopf" ihres Landes (das heißt: ein Kopf zu groß für den übrigen Körper). Die „Provinzler", wie man die Leute aus den anderen Teilen Österreichs nennt, mißtrauen der Größe Wiens. Sie glauben, daß die Wiener zuviel und sie zu wenig über die Affären ihres Staates zu sagen haben. 5 Wie man die Situation auch sehen mag — als Wiener oder als Provinzler — Wien wird nicht kleiner.

Die Alpen bestimmen das Klima Österreichs. Im Winter schneit es sehr viel; die Sommer sind ziemlich warm, aber selten heiß. Der Österreicher ist tolerant, auch dem Wetter 10 gegenüber. Er gewöhnt sich an Regen und Schnee, so wie er sich an vieles andere gewöhnt. Selbst drei Wochen Regen in der schönen Stadt Salzburg akzeptiert der Österreicher. Der Tourist aus dem Ausland „fährt aus der Haut" (das heißt, er wird sehr zornig) — und dann fährt er meistens nach 15 Hause. Nach Hause — wo er mit dem Wetter auch nicht zufrieden ist.

der Wasserkopf *large head*
der Provinzler *provincial person*
mißtrauen *to distrust*

schneien *to snow*

sich gewöhnen *to get used to*
selbst *even*
die Haut *skin*
zornig *angry*

die Wasserkraft *hydro-*
  electric power
das Erz *ore*

verwenden *to use*

der Staudamm *hydro-*
  electric dam

die Schönheit *beauty*
der Schatz *treasure*
landschaftlich *scenic*
das Schloß *castle*
das Kloster *monastery*

unvermeidlich *inevitable*

einfach *simple*

Wald, Wasserkraft und Erze sind Österreichs wichtigste Bodenschätze. Besonders vom „weißen Gold", so nennt man auch die Wasserkraft, exportiert Österreich viel in andere Teile Europas. So verwenden z.B. die Industrie-
5 zentren im deutschen Ruhrgebiet Elektrizität aus Österreich. Große und kleine Staudämme findet man überall in diesem wasserreichen Alpenland.

Die Schönheit des Landes ist ein ganz besonderer Schatz Österreichs; wer dieses Land besucht, sieht nicht nur
10 die landschaftlichen Schönheiten. Sein reiches Kulturleben, seine herrlichen Kirchen, Schlösser und Klöster gehören zur Landschaft. „Klein, aber fein" — das ist Österreich.

Bei unserem Vergleich der Deutschen und der Österreicher kann die Geographie nur ein Anfang sein. Es ist
15 fast unvermeidlich — ein Vergleich geographischer Daten führt immer zur Geschichte, zur Politik und zu den Menschen. Die Diskussion über eine einfache Frage zeigt uns das.

ÜBUNGEN UND FRAGEN

A. Üben Sie die Aussprache der folgenden Wörter:

die Geographíe	die Politík, polítisch
die Statístik	orientieren
objektív	die Temperatúr
die Búndesrepublík	Celsius
sarkástisch	die Elektrizitắt
der Európäer	die Energíequelle
der Quadrátkilométer	der Generál
der Kosmopolitísmus	das Synoným
der Stacheldraht	der Anachronísmus
das Symból	der Provínzler

B. Fragen:
  1. Wie heißen die beiden deutschen Staaten?
  2. Was sagt jeder der beiden deutschen Staaten?

*Kirche in St. Anton
am Arlberg*

3. Wie groß sind West- und Ostdeutschland zusammen?
4. Wohin fließen die großen Flüsse Deutschlands?
5. Welche Farbe hat die Donau wirklich?
6. Was sagen die Leute in Deutschland über das Wetter?
7. Warum lieben die Deutschen ihre Wälder?
8. An welche Länder grenzt Österreich?
9. Warum loben die Wiener ihre Stadt?
10. Wie ist das Klima in Österreich?

C. Viele Dichter schreiben über ihre Heimat. — *Many poets write
about their homeland.*
Wie sagt man?
1. Many poets write about my homeland.
2. Many poets write about his homeland.
3. Many poets write about our homeland.
4. Many poets write about her homeland.
5. Many poets write about your homeland.

D. Ergänzen Sie die Präposition:
   1. Wir sprechen _____ Bergen. (*of*)
   2. Die Differenzen _____ West- und Ostdeutschland. (*between*)
   3. Ostdeutschland beginnt _____ der Elbe. (*at*)
   4. Deutschland ist heute kleiner als _____ dem Zweiten Weltkrieg. (*before*)
   5. Man denkt _____ einen Witz. (*of*)
   6. Ein kleiner Teil der Alpen liegt _____ deutschem Gebiet. (*on*)
   7. Man ist selten _____ dem Wetter zufrieden. (*with*)
   8. _____ 50 Jahren. (*ago*)
   9. Der Dichter schreibt _____ Deutschland. (*about*)
   10. Die Donau fließt _____ Österreich. (*through*)

E. Er gewöhnt sich an Regen und Schnee. — *He gets used to rain and snow.*
   Wie sagt man?
   1. I get used to rain and snow.
   2. We get used to rain and snow.
   3. You get used to rain and snow.
   4. She gets used to rain and snow.
   5. They get used to rain and snow.

F. Wie heißt das Gegenteil (*opposite*) der unterstrichenen Wörter?
   Beispiel: Das ist richtig. Das ist falsch.
   1. Das weiß jeder.
   2. Deutschland ist heute viel kleiner.
   3. Man trifft sie leichter.
   4. Heute ist es kalt und trocken.
   5. Die Menschen sind selten damit zufrieden.
   6. Man spricht viel darüber.
   7. Österreich liegt südlicher, Deutschland . . .
   8. Das ist eine einfache Frage.

III

Historische Perspektiven: Eine Diskussion

1. Eine einfache Frage

Vor wenigen Tagen hatte das Herbstsemester an einer großen amerikanischen Universität begonnen. Die Studenten, die den Kurs „German Civilization" belegt hatten, kamen einer nach dem anderen in den Hörsaal. Um 10 Uhr läutete es und die Stunde begann. Nun mußten alle Deutsch sprechen, denn das war die Regel für diesen Kurs. Für die meisten Studenten war dies nicht zu schwer, denn Deutsch war ihr Hauptfach.[1]

Professor Meyer begrüßte seine Studenten, von denen er die meisten kannte. „Sprechen wir kurz über Ihre Sommerferien, bevor wir beginnen", sagte er. „Erzählen Sie, wo Sie gewesen sind und was Sie gemacht haben. Na, Herr Miller, wie war Ihr Sommer in Europa", fragte er einen großen, blonden Studenten, der in der zweiten Reihe saß. „Wo waren Sie überall?"

„Die meiste Zeit verbrachte ich in Deutschland und Österreich. Ich wollte noch andere Länder besuchen, aber ich hatte nicht genug Zeit. Außerdem wollte ich möglichst viel Deutsch hören und sprechen", antwortete John Miller.

„Hast Du immer alles verstanden", wollte Jane Gray

das Herbstsemester *fall semester*

belegen *to enroll*

der Hörsaal *lecture hall*
läuten *to ring*
die Stunde *class*
die Regel *rule*

das Hauptfach *major subject*

die Sommerferien *summer vacation*

die Reihe *row*

außerdem *moreover*

---

[1] Das Deutsch der Studenten war natürlich nicht fehlerfrei; es erscheint hier in korrigierter Form.

fehlerfrei *free of mistakes*
erscheinen *to appear*

die Schwierigkeit *difficulty*
hübsch *pretty*

reden *to talk*

erwidern *to reply*

die Reise *trip*

stellen *to put*

das Nebenfach *minor
subject*

verständlich *understandable*

ab-schließen *to finish*
die Jugendherberge *youth
hostel*

die Studentenunruhen
student unrest
angeblich *alleged*

erfahren *to hear*

der Rock *skirt*

sowohl . . . als auch *as well
as*
der Eindruck *impression*

der Unterschied *difference*

die Zeitung *newspaper*

wissen, die neben ihm saß. „Oder hattest du dieselben Schwierigkeiten wie ich?" Jane, ein hübsches, dunkelhaariges Mädchen, hatte vor zwei Jahren ein Semester in München studiert.

5 „Wenn die Leute Hochdeutsch sprachen, ja, aber wenn sie in Dialekt redeten, dann verstand ich fast kein Wort", erwiderte John.

Johns Reise schien alle zu interessieren, und die Studenten stellten verschiedene Fragen an ihn. Katherine Jensen, 10 die Musik studierte und Deutsch nur als Nebenfach hatte, fragte ihn über die Salzburger Festspiele. Katherines Interesse dafür war verständlich, denn sie möchte später am Salzburger Mozarteum, der berühmten Musikakademie in Österreich, studieren. Aber zuerst will sie ihr Studium an der 15 Universität in Amerika abschließen. Andere fragten John über die Jugendherbergen in Deutschland, über Preise, über Sport und Theater. Einige wollten etwas über die Studentenunruhen an den deutschen Universitäten hören. Auch über die neue Partei der angeblichen Neo–Nazis 20 wollte man von John etwas erfahren. Einer fragte sogar, ob jetzt die Mädchen in Deutschland ebenso kurze Röcke tragen wie in Amerika.

Einige dieser Fragen konnte John beantworten, aber nicht alle. Da er sowohl in Deutschland als auch in Öster- 25 reich gewesen war, sprach er auch über verschiedene Eindrücke in diesen beiden Ländern. Als John schließlich den Sauerbraten (den er in Hamburg gegessen hatte) mit dem Wiener Schnitzel verglich (das man ihm in Wien serviert hatte), fragte ihn sein Freund Peter Allen: „Sag' John, 30 welchen Unterschied hast du eigentlich zwischen Deutschland und Österreich gefunden? Gibt es überhaupt einen Unterschied? Die Leute sprechen in beiden Ländern Deutsch; sie lesen auch dieselben Bücher und Zeitungen, nicht wahr? Und spielt man nicht auch dieselben Theater- 35 stücke in Hamburg und in Wien?"

Da John nicht sofort antwortete, fragte Peter weiter: „Warum sind Deutschland und Österreich nicht ein Staat? Warum gehören sie nicht zusammen? Sie haben doch so viel gemeinsam. Wie denkst du darüber, John? Das ist doch eine einfache Frage, oder nicht?"

Man konnte sehen, daß John nachdachte. Schließlich sagte er: „Du hast recht, Peter. Es sollte eine einfache Frage sein. Aber ich kann sie nicht beantworten. Ich weiß nicht 5 genug über Deutschland und Österreich. Es gibt wahrscheinlich historische Gründe für diese Existenz zweier Länder. Darüber mußt du jemanden fragen, der mehr davon versteht."

„Vielleicht handelt es sich um ein ähnliches Verhältnis 10 wie einst zwischen England und den USA", bemerkte Paul Renek.

„Nein, das glaube ich nicht", erwiderte John, der sich an seine Vorlesung über Europäische Geschichte erinnerte. „Österreich war nie eine Kolonie Deutschlands. Vor langer 15 Zeit war Österreich ein Teil des Deutschen Reiches. Im 18. und 19. Jahrhundert gab es Rivalitäten zwischen Österreich und Deutschland, sogar Kriege."

„Aber gehörte Österreich nicht zu Deutschland während des Zweiten Weltkrieges?" rief jemand. 20

„Ja, das stimmt, aber . . ."

Da sagte Professor Meyer, der bisher nur zugehört hatte:

„Ich mache einen Vorschlag. Versuchen wir doch, dieser Frage auf den Grund zu gehen. Sie ist vielleicht nicht 25 so einfach, wie Sie gedacht haben. Wir müssen die Entwicklung dieser beiden Länder systematischer verfolgen. Vielleicht soll ich etwas über die Geschichte Deutschlands und Österreichs erzählen."

nach-denken   *to think about something*

jemand   *somebody*

es handelt sich um   *it is a question of*
das Verhältnis   *relation*
bemerken   *to mention*

die Vorlesung   *lecture*
sich erinnern   *to remember*

das stimmt   *that is correct*
zu-hören   *to listen*

der Vorschlag   *suggestion*
versuchen   *to try*
der Grund   *bottom*
die Entwicklung   *development*

ÜBUNGEN UND FRAGEN

A. Üben Sie die Aussprache der folgenden Wörter:

die Perspektíve	das Mozartéum
die Diskussión	die Musíkakademíe
die Universität	die Existénz

München	die Rivalität
die Musík	systemátisch
Bayréuth	die Kolоníe

B. Fragen:
1. Welche Studenten kamen in den Hörsaal?
2. Warum verbrachte John Miller die meiste Zeit in Deutschland und Österreich?
3. Warum interessierte sich Katherine Jensen für die Salzburger Festspiele?
4. Worüber stellten die Studenten Fragen an John?
5. Was war Peter Allens „einfache Frage"?

C. Setzen Sie ins Präsens:
1. Das Semester hatte begonnen.
2. Um 10 Uhr läutete es.
3. Die Studenten kamen in den Hörsaal.
4. Die meiste Zeit verbrachte er in Deutschland.
5. Hast du immer alles verstanden?
6. Welchen Unterschied hast du gefunden?

D. Ergänzen Sie die Konjunktion. Wählen Sie (*choose*) von den folgenden: denn, außerdem, daß, wenn, dann, aber, ob, als.
1. Sie mußten Deutsch sprechen, _____ das war die Regel.
2. _____ John nicht antwortete, fragte Peter weiter.
3. _____ wollte ich viel Deutsch hören.
4. Man konnte sehen, _____ John nachdachte.

E. Ergänzen Sie das Relativpronomen:
1. Die Studenten, _____ den Kurs belegt hatten.
2. Der Student, _____ den Kurs belegt hatte.
3. Die Studentin, _____ den Kurs belegt hatte.
4. Er fragte John, _____ er gut kannte.
5. Er fragte eine Studentin, _____ er gut kannte.
6. Die Studenten, mit _____ der Professor gesprochen hatte.
7. Der Student, _____ Namen ich kannte.
8. Die Studenten, _____ Namen ich kannte.
9. Das Mädchen, _____ er fragte.

10. Die Kriege, von _____ ich sprach.
11. Der Krieg, von _____ ich sprach.

F. a) Ergänzen Sie das Modalverb; b) setzen Sie dann alle Sätze ins Präsens.

Beispiel: Nun _____ sie alle Deutsch sprechen. (*had to*)
Nun mußten sie alle Deutsch sprechen.
Nun müssen sie alle Deutsch sprechen.

1. Nun _____ sie alle Deutsch sprechen. (*could*)
2. Er _____ nach Deutschland fahren. (*wanted*)
3. Du _____ ihn alles fragen. (*were allowed to*)
4. Sie _____ etwas über Österreich wissen. (*were supposed to*)
5. Ich _____ Wiener Schnitzel sehr gern. (*liked*)

2. Die gemeinsame Vergangenheit

die Vergangenheit *past*

das Thema *topic*

der Stamm *tribe*
vereinen *to unite*
schaffen *to create*
der Papst *pope*
krönen *to crown*

jedenfalls *at any rate*

der Fürst *prince*

der Nachfolger *successor*
die Grenzmark *border*
  province
feindlich *hostile*
der Avare *Avar*

(das) Althochdeutsch *Old*
  High German

der Gelehrte *scholar*

Nun begann Professor Meyer über ein Thema zu sprechen, das ihn persönlich sehr interessierte. Er hatte nämlich vor dem Krieg je zwei Semester in Heidelberg und in Wien
5 studiert. „Wir müssen weit zurückgehen", begann der Professor. „Karl der Große, Sie kennen ihn wahrscheinlich als Charlemagne, wollte vor mehr als tausend Jahren alle deutschen Stämme vereinen. Er wollte ein großes, christliches Reich schaffen. Der Papst selbst hatte ihn zum Kaiser
10 aller Deutschen gekrönt. Damals gab es noch keine Trennung zwischen Deutschland und Österreich. Man kann sagen, daß diese Staaten im heutigen Sinne noch gar nicht existierten. Es gab nur die verschiedenen Stämme, die ziemlich für sich lebten. Sie gaben Karl dem Großen nicht frei-
15 willig, was er wollte; er mußte darum kämpfen. Die deutsche Einheit war damals noch keine populäre Idee. Jedenfalls nicht für die einzelnen Fürsten und ihre Stämme.

Für Karl den Großen und seine Nachfolger war ‚Ostarrichi‘ eine wichtige Grenzmark gegen die feindlichen
20 Völker des Ostens, also gegen die Avaren und Ungarn."

„Ah, jetzt weiß ich, woher Österreich seinen Namen hat", meinte Susan Peterson, eine blonde Studentin mit blauen Augen. „Ostarrichi, das heißt wohl ‚Reich des Ostens‘. Woher kommt eigentlich der Name ‚Deutschland‘?"
25 wollte sie nun auch wissen. „War das der Name einer Provinz oder eines Stammes?"

„Nein, Fräulein Peterson", antwortete der Professor. „Das Wort ‚deutsch‘ hat damit nichts zu tun. Im Althochdeutschen, das man damals sprach, bedeutete ‚diota‘
30 das Volk. Die sogenannte ‚lingua theudisca‘ war also die ‚Volkssprache‘ vieler germanischer Stämme; dagegen war die ‚romana lingua‘ die internationale Sprache der Kirche und der Gelehrten. Die Deutschen bekamen also ihren Namen von einem sprachlichen Begriff."

35 „Wenn Sie von Stämmen sprechen, an welche denken Sie dabei?" fragte John.

„Na, zum Beispiel, die Franken, Sachsen, Bayern,

Thüringer, Friesen, Alemannen. Das sind wohl die wichtigsten."

„Diese Stämme gibt es doch noch heute", sagte ein Student in der letzten Reihe.

„Ja, natürlich, aber nicht alle diese Stämme gehören 5 heute zu Deutschland. Zum Beispiel lebt ein Teil der Alemannen heute in der Schweiz und im westlichen Österreich.

„Jetzt sind wir aber nicht mehr beim Thema", meinte der Professor. „Wir sprachen vorhin von dem gemeinsamen Reich der Deutschen im Mittelalter. Von einem Reich, zu 10 dem auch Österreich gehörte. Dieses Reich bekam später einen großartigen Namen: Das Heilige Römische Reich Deutscher Nation."

„Oh ja, von diesem Reich habe ich schon gehört. Hat nicht ein Historiker gesagt, das es weder ‚heilig‘ noch 15 ‚römisch‘ war?" bemerkte Susan. „Und ein wirkliches Reich war es auch nicht", setzte sie noch hinzu.

„Nun, so schlecht stand es um dieses Reich auch nicht", antwortete lachend der Professor. „Aber etwas Wahres ist an dieser sarkastischen Interpretation. Sie dürfen sich dieses 20 Reich nicht als zentralisierten Staat vorstellen. Der Titel bedeutete mehr Idee als Realität. Der Kaiser war zwar theoretisch der Herrscher über alle deutschen Länder, aber die wirkliche Macht besaßen die Fürsten; sie regierten in ihren Ländern ziemlich unabhängig. Nun, innerhalb dieses 25 Reiches erhielt Österreich eine besondere Stellung. Im 10.

meinen	*to say*
vorhin	*before*
großartig	*impressive*
weder … noch	*neither … nor*
hinzu-setzen	*to add*
schlecht stehen	*to be in bad shape*
sich vor-stellen	*to imagine*
der Herrscher	*ruler*
besitzen	*to possess*
innerhalb	*within*
die Stellung	*position*

Kaiserkrone des
Heiligen Römischen Reiches
Deutscher Nation

das Geschlecht *dynasty*

der Investiturstreit
  controversy of investiture

das Papsttum *papacy*

betreiben *to pursue*

das Geschlecht *sex*

heiraten *to marry*
erkennen *to recognize*

je ... desto *the ... the*

und 11. Jahrhundert regierte in Österreich das Geschlecht der Babenberger. Die Babenberger waren kluge Politiker. Sie wußten immer, was für sie gut war. Daher blieben sie auch im Investiturstreit mehr oder weniger neutral."

5 „Was war dieser Investiturstreit?" fragte ein Student. „Das war der große Machtkampf zwischen Papsttum und Kaisertum im 11. und 12. Jahrhundert", antwortete der Professor. „Und glauben Sie mir", setzte er hinzu, „es war für keinen Fürsten leicht, in diesem Konflikt neutral 10 zu bleiben. Aber den Babenbergern gelang es, und damit halfen sie ihrem Land."

„Ist es wahr, daß die Österreicher schon damals eine kluge Heiratspolitik betrieben", fragte Mary Norton. Einige Studenten lächelten, als sie diese Frage hörten. Sie 15 kannten Mary; sie wußten, wofür sich diese temperamentvolle Studentin interessierte: mehr für den Kampf der Geschlechter (aber nicht der Dynastien) als für die Kämpfe in der Geschichte.

„Das stimmt schon", erwiderte der Professor, „aber 20 nicht nur die Babenberger waren an kluger Heiratspolitik interessiert. Ihre Nachfolger, die Habsburger, konnten es noch besser. ‚Bella gerant alii, tu felix Austria, nube' (Kriege mögen die anderen führen, du, glückliches Österreich, heirate). Dieses lateinische Sprichwort war das Motto vieler 25 österreichischer Herrscher. So mancher von ihnen erkannte, daß man mit Heiraten mehr Land gewinnen konnte als mit Schlachten. Und die Chancen in diesen ‚Schlachten' waren für die Habsburger gut, denn sie hatten große Familien."

„Gar nicht schlecht", sagte John. „Mit anderen Worten: 30 Je mehr Kinder diese Herrscher hatten, desto mehr Land konnten sie durch Heirat bekommen. Das nenne ich auch kluge Politik."

„Hatte die österreichische Kaiserin Maria Theresia nicht sechzehn Kinder?" fragte Mary. „Ich glaube, das 35 Jüngste war Marie Antoinette; sie heiratete mit vierzehn Jahren den französischen König Ludwig XVI.", setzte sie hinzu.

„Aber diese Heirat brachte den Habsburgern kein

Kaiserin Maria Theresia

Glück; jedenfalls nicht der jungen österreichischen Prinzes-   das Glück   *good fortune*
sin", meinte Peter.

„Warum nicht?" wollte Mary wissen.

„Weißt du nicht, was mit ihr und dem König während
der Französischen Revolution geschehen ist?" fragt Peter. 5
„Man enthauptete sie beide."   enthaupten   *to behead*

„Nicht sehr romantisch", sagte Mary leise. Dann war   leise   *in a low voice*
sie still.

„Jetzt sind wir sehr schnell von den Babenbergern zu
Maria Theresia gekommen", meinte der Professor. „Zu 10
schnell, denn wir haben mehrere Jahrhunderte über-   überspringen   *to skip*
sprungen."

„Die Habsburger waren doch lange nicht nur Könige
von Österreich, sondern auch deutsche Kaiser, nicht
wahr", sagte Peter.   15

„Ja, über 500 Jahre, ungefähr vom 14. Jahrhundert bis
zum Anfang des 19. Jahrhunderts", meinte John. „Die
Habsburger Kaiser stützten sich immer auf ihre Haus-   sich stützen auf   *to rely upon*
macht, das waren die Länder Österreichs, Böhmen und Un-   die Hausmacht   *private*
garn". John war sichtlich stolz darauf, daß er sich an den 20   *possession of a sovereign*

                                                 sichtlich   *obviously*

Begriff ‚Hausmacht' erinnert hatte; er hatte ihn einmal in einer Geschichtsvorlesung gehört.

„Sie haben recht, Herr Miller", fuhr der Professor fort, „eine solche Hausmacht war für die Kaiser jener Zeit
5 sehr wichtig. Ohne sie war die Stellung des Kaisers fast bedeutungslos. Wir dürfen nicht vergessen, daß dieses Heilige Römische Reich Deutscher Nation ein Reich verschiedener Völker war. Denken Sie nur daran, wie viele verschiedene Sprachen man in diesem ‚Deutschen' Reich sprach.
10 Wie sagte einmal der Kaiser Karl V.: ‚Mit meinem Gott spreche ich lateinisch, mit meiner Familie spreche ich spanisch, mit meinem Klerus italienisch, mit meinen Diplomaten französisch, mit meinen Feldherrn deutsch und mit meinen Pferden ungarisch'."

15 „Wie lange existierte eigentlich dieses gemeinsame Reich?" wollte Susan wissen.

„Offiziell bis 1806, also bis Napoleons Zeit; in Wirklichkeit zerfiel das Reich schon viel früher. Besonders arg war die Zersplitterung des Reiches nach dem Dreißigjähri-
20 gen Krieg, dem großen Religionskrieg im 17. Jahrhundert. Damals gab es etwa 300 deutsche Staaten. Die meisten davon waren sehr klein; man nannte sie spöttisch ‚Zwergstaaten'. Aber es blieb nicht bei dieser Zersplitterung. Aus vielen kleinen Staaten wurden bald einige größere; und im 19.
25 Jahrhundert gab es dann wieder einige große Staaten innerhalb Deutschlands."

bedeutungslos *meaningless*

der Klerus *clergy*
der Feldherr *commander in chief*
das Pferd *horse*

zerfallen *to disintegrate*
arg *bad*
die Zersplitterung *fragmentation*

spöttisch *scornful*
der Zwergstaat *dwarf state, very small state*

ÜBUNGEN UND FRAGEN

A. Üben Sie die Aussprache der folgenden Wörter:

das Théma	die Interpretatión
die Idée	zentralisíeren
die Aváren	unabhängig
die Provínz	der Investitúrstreit
dióta	die Dynastíe
die Alemánnen	die Revolutión

B. Fragen:
   1. Worüber begann Professor Meyer zu sprechen?
   2. Was gab es noch nicht zur Zeit Karl des Großen?
   3. Welche deutschen Stämme kennen Sie?
   4. Was war Österreich zur Zeit Karl des Großen?
   5. Wer waren die Babenberger?
   6. Wofür interessierte sich Mary Norton?
   7. Was geschah mit Marie Antoinette?
   8. Worauf stützten sich die Habsburger Kaiser?

C. Es hat nichts damit zu tun. — *It has nothing to do with it.* Wie sagt man?
   1. It has little to do with it.
   2. It has much to do with it.
   3. It has something to do with it.
   4. It has enough to do with it.
   5. It has everything to do with it.

D. Setzen Sie ins Imperfekt (*past tense*) und ins Perfekt (*present perfect*):
   1. Sie geben es ihm nicht.
   2. Ich weiß es nicht.
   3. Sie bleiben neutral.
   4. Die Heirat bringt kein Glück.
   5. Was geschieht mit ihm?
   6. Du hast recht.
   7. Er spricht Französisch.
   8. Ihr antwortet dem Professor.

E. Stellen Sie (*ask*) Fragen über:
   1. Karl den Großen
   2. den Namen Österreich
   3. die deutschen Stämme
   4. das Geschlecht der Habsburger
   5. das Heilige Römische Reich Deutscher Nation
   6. Marie Antoinette
   7. die Zersplitterung des Reiches

3. Die großen Rivalen

neben *next to*

unbedeutend *unimportant*

erst *only*

die Aufklärung *Age of Enlightenment*

ehrgeizig *ambitious*

schade *too bad*

ein-werfen *to interject*

die Ehe *marriage*

die Konfession *creed*

„Ich habe immer geglaubt, daß Preußen neben Österreich der wichtigste deutsche Staat gewesen ist", bemerkte
Paul Hilbert. „Sie haben aber bis jetzt von Preußen gar
5 nicht gesprochen."

„Das hat seinen Grund, Herr Hilbert", erwiderte der
Professor. „Preußen, eigentlich sollte ich sagen: die Mark
Brandenburg, war bis zum Dreißigjährigen Krieg ein ziemlich kleiner und unbedeutender Staat. Es war nur einer
10 von vielen Staaten innerhalb Deutschlands. Erst im 18.
Jahrhundert wurde Preußen eine Großmacht. Das war vor
allem das Werk Friedrichs des Großen. Von diesem König
haben Sie vielleicht schon gelesen oder gehört. Er war ein
Mann mit vielen Talenten: Feldherr, Musiker, Reformer
15 im Sinne der Aufklärung usw.

Ja, im 18. Jahrhundert begann die große Rivalität
zwischen der preußischen Dynastie der Hohenzollern und
dem österreichischen Haus der Habsburger. Beide wollten
die führende Rolle in Deutschland spielen. Das sah man be-
20 sonders, wenn zwei ehrgeizige Herrscher in Wien und
Berlin regierten."

„Oh, ich weiß, an wen Sie jetzt denken", sagte Mary
Norton schnell. „An Maria Theresia und Friedrich den
Großen."

25 „Das stimmt", antwortete der Professor.

Bevor er noch weitersprechen konnte, setzte Mary hinzu: „Schade, daß die beiden nicht geheiratet haben."
Mary war wieder in ihrem Element.

„Du denkst wieder an die sechzehn Kinder", warf
30 Peter etwas sarkastisch ein. „Aber vergiß nicht, Mary, daß
Friedrich geheiratet hat — und seine Ehe war kinderlos.
Eine Ehe zwischen Friedrich und Maria Theresia . . . un-
möglich. Denk' doch daran: Friedrich war Protestant,
Maria Theresia Katholikin."

35 „Spielte die Konfession eine große Rolle in diesem
Konflikt zwischen Preußen und Österreich?" fragte Paul
den Professor. "Soviel ich weiß, spricht man noch heute

Friedrich der Große
(Friedrich II. von Preußen)

vom protestantischen Norden und vom katholischen
Süden."

„Gewiß, die verschiedenen Konfessionen hatten etwas
damit zu tun. Aber weniger, als Sie vielleicht glauben. Sie
dürfen nicht vergessen, daß die konfessionelle Spaltung   5   die Spaltung   *schism*
Deutschlands schon viel früher stattfand. Das geschah etwa   statt-finden   *to take place*
200 Jahre vor Friedrich und Maria Theresia; schon kurz
nach Luthers Tod. Im Augsburger Religionsfrieden des
Jahres 1555 akzeptierte man das Prinzip: cuius regio, eius
religio. Das heißt frei übersetzt: Wer regiert, der bestimmt 10 übersetzen   *to translate*
die Religion. Mit anderen Worten, die Fürsten bestimmten
die Religion ihrer Untertanen. Da die Fürsten im Norden   der Untertan   *subject*
Deutschlands während der Reformation meistens Prote-
stanten geworden waren, wurde Preußen ein protestantisches
Land. Im Süden hingegen, wo die streng katholischen   15   hingegen   *however*
Habsburger regierten, blieb die Bevölkerung katholisch.
Wer gegen den Willen seines Herrschers protestantisch oder
katholisch bleiben wollte, hatte es sehr schwer. Solche Leute
mußten oft ihre Heimat verlassen."
                                                                   die Vorherrschaft
„Wer gewann den Kampf um die Vorherrschaft in   20   *predominance*

Deutschland, Friedrich oder Maria Theresia?" fragte nun Susan.

überlegen *to think over*

Der Professor überlegte kurz, ehe er antwortete: „Eigentlich beide; man kann von einem „Unentschieden"

das Unentschieden *the tie, the draw*

5 sprechen. Preußen blieb der stärkste deutsche Staat im Norden; Österreich behielt seine führende Position im

behalten *to retain*

Süden. Ja, es ist schade, daß diese beiden Staaten so oft gegeneinander standen. Zu Napoleons Zeiten mußten sie für ihre Rivalität schwer bezahlen. Der Korse besiegte sie

besiegen *to defeat*

10 beide, einen nach dem anderen. Nachdem Napoleon sowohl Preußen als auch Österreich besiegt hatte, beherrschte er ganz Deutschland."

siegen *to be victorious*

„Aber im Jahre 1813 siegten doch Preußen und Österreich über Napoleon", sagte Susan sofort.

15 „Sie haben recht", antwortete der Professor. „In diesem Krieg waren die beiden Rivalen für kurze Zeit Partner. Damals kämpften sie gegen einen gemeinsamen Feind;

unterdrücken *to suppress*

Napoleon hatte sie beide unterdrückt. Aber man soll sich keine Illusionen machen: Das Jahr 1813 brachte Preußen

20 und Österreich einander nicht viel näher."

„Aber die Niederlage Napoleons brachte ein vereintes Deutschland näher, nicht wahr?" setzte Susan fragend hinzu. „Gab es seit dem Wiener Kongreß nicht einen ‚Deut-

der Bund *federation*

schen Bund'?"

25 „Das ist richtig, aber dieser ‚Bund' war noch kein vereintes Deutschland", antwortete Professor Meyer. „Preußen und Österreich gingen nach 1815 wieder ihre eigenen Wege. Und die 33 anderen deutschen Staaten, die auch zum Deutschen Bund gehörten, machten dasselbe."

30 In diesem Augenblick läutete es. „Was, ist es möglich,

die Zeit ist um *time is up*

daß unsere Zeit um ist", meinte der Professor, als er auf

die Uhr *watch*

seine Uhr schaute. „Sprechen wir übermorgen darüber weiter. Die ‚einfache Frage', die Herr Allen gestellt hat, soll nicht unbeantwortet bleiben."

ÜBUNGEN UND FRAGEN

A. Üben Sie die Aussprache der folgenden Wörter:

der Rivále	das Elemént
die Rivalität	der Protestánt
Maria Theresia	der Katholík

B. Fragen:
1. Was wissen Sie über die Mark Brandenburg?
2. Warum waren die Hohenzollern und die Habsburger Rivalen?
3. Woran dachte Mary, als sie von Maria Theresia sprachen?
4. Welches Prinzip akzeptierte man im Augsburger Religionsfrieden?
5. Was war der „Deutsche Bund"?

C. Verwenden Sie die folgenden Redewendungen (*idiomatic expressions*) in einem Satz:
1. das stimmt
2. schade, daß ...
3. soviel ich weiß
4. sie haben recht
5. die Zeit ist um

D. Verbinden Sie sinnvoll (*connect meaningfully*) jedes Satzpaar mit der Konjunktion, die Sie in der Klammer (*parenthesis*) finden; achten Sie auf die Wortstellung (*word order*)!

Beispiel: Ich habe es geglaubt; Preußen ist der wichtigste Staat. (daß)

Ich habe geglaubt, daß Preußen der wichtigste Staat ist.

1. Das sah man oft; zwei ehrgeizige Herrscher regierten in Wien und Berlin. (wenn)
2. Es gab eine große Rivalität; beide wollten eine führende Rolle spielen. (denn, weil)
3. Die Fürsten im Norden waren Protestanten geworden; Preußen wurde ein protestantisches Land. (da)
4. Der Professor überlegte; er antwortete. (ehe)
5. Die Zeit war um; er schaute auf die Uhr. (als)

4. Die kleindeutsche Lösung

die Lösung *solution*

Zwei Tage später traf sich der Kurs wieder im selben Hörsaal und zur selben Zeit. Kurz nach dem Läuten erschien Professor Meyer. Aber diesmal war er nicht allein; zwei
5 junge Männer kamen mit ihm.

erscheinen *to appear*

„Ich möchte Ihnen meine Gäste vorstellen", begann Professor Meyer. „Herr Hansen ist Historiker", und dabei zeigte er auf den Herrn, der links von ihm stand. „Herr Hansen lebt jetzt in den Vereinigten Staaten und lehrt
10 europäische Geschichte. Er kommt ursprünglich aus Hannover. Unser anderer Gast ist Herr Brenner; er ist Österreicher und studiert dieses Jahr als Austauschstudent an unserer Universität.

vor-stellen *to introduce*

zeigen *to point*

ursprünglich *originally*

der Austauschstudent
   exchange student

Ich habe unsere Gäste gebeten, an der Diskussion über
15 die ‚einfache Frage' teilzunehmen. Ich glaube, daß Herr Hansen und Herr Brenner einiges darüber zu sagen haben; sie kennen schließlich Deutschland und Österreich besser als wir. Vielleicht gibt es auch einen deutschen und einen österreichischen Standpunkt zu diesem Thema.

schließlich *after all*

20 Ich glaube, wir sprachen zuletzt über den ‚Deutschen Bund', diesen losen Staatenbund am Anfang des 19. Jahrhunderts. Jeder der deutschen Staaten in diesem Bund war autonom; jeder Herrscher machte, was er wollte. Die liberalen Patrioten, die gegen Napoleon gekämpft hatten, waren
25 darüber nicht glücklich. Sie hatten von einem vereinten Reich geträumt. Von einem Reich mit einem König, mit einer Regierung, mit einer Verfassung."

die Verfassung *constitution*

„Versuchte man nicht im Jahre 1848 ein gemeinsames Parlament für ganz Deutschland zu schaffen?" fragte eine
30 Studentin.

die Nationalversammlung
   national assembly

„Ja, Sie meinen die Frankfurter Nationalversammlung von 1848", erwiderte der Professor. „Gewiß, die liberalen Politiker, die sich damals in Frankfurt versammelten, hatten große Pläne. Sie wollten ein Parlament und eine Verfassung

die Rechnung ohne den Wirt
machen *to work in the dark*

35 für ganz Deutschland. Aber sie machten die Rechnung ohne den Wirt, wie man im Deutschen sagt. Das heißt hier, die Frankfurter Nationalversammlung versuchte etwas zu tun,

Frankfurter Nationalversammlung

wozu sie weder die Macht noch die Mittel hatte. Sie müssen   das Mittel   *means*
wissen, daß weder die großen noch die kleinen Herrscher
Deutschlands auf ihre Souveränität verzichten wollten. Sie   verzichten   *to renounce*
dachten anders als die liberalen Politiker in Frankfurt.
Gewiß, viele Deutsche sympathisierten mit den Männern 5
der Nationalversammlung und ihren großen Plänen. Aber
die Macht hatten die Monarchen!"

    „Ich habe gelesen, daß man bei dieser Versammlung in
Frankfurt über eine ‚großdeutsche' und eine ‚kleindeutsche'
Lösung diskutierte", sagte John. „Was meint man damit?" 10

    „Herr Hansen, wollen Sie darüber sprechen", meinte
der Professor.

    „Gerne", sagte Herr Hansen. „Die Anhänger der   der Anhänger   *supporter*
‚großdeutschen' Lösung wollten ein vereintes Deutschland,
zu dem auch die Habsburger Monarchie gehören sollte: also 15
die deutschen und nichtdeutschen Länder Österreichs."

„Welche nichtdeutschen Länder meinen sie damit?"
wollte Mary wissen.

„Na, zum Beispiel, Ungarn, Polen, die heutige Tschechoslowakei, Teile Italiens."

5 Und was verstand man unter der ‚kleindeutschen'
Lösung?" fragte John weiter.

„Wer ‚kleindeutsch' dachte, wollte nur Deutsche in
diesem Reich haben; und den König von Preußen wollten sie
als Deutschen Kaiser", erklärte Herr Hansen.

sich entscheiden *to decide* 10 „Wofür hat man sich 1848 entschieden?" fragte ihn
ein anderer Student.

„Für die kleindeutsche Lösung. Es spielte aber keine
Rolle, denn der König in Preußen und der Kaiser in Österreich ignorierten diese Pläne, sobald sie die Revolutionen in

nieder-schlagen *to suppress* 15 ihren Ländern niedergeschlagen hatten. Wie sie sicher wissen, gab es 1848 fast in allen deutschen Ländern Revolu-
tionen. Und während dieser Revolutionen fand die Frankfurter Nationalversammlung statt. Realität wurde die
kleindeutsche Lösung erst zwei Jahrzehnte später unter

gründen *to found* 20 Otto von Bismarck. Er gründete ein echtes Deutsches
echt *genuine* Reich."

„Ach ja, Bismarck, war das nicht der wilde Mann, der

Blut und Eisen *blood and* von ‚Blut und Eisen' sprach", für derselbe Student fort.
iron Mehrere Studenten dachten, daß diese Bemerkung nicht sehr

25 taktvoll war. Ist Bismarck für die Deutschen nicht ein na-
tionaler Held wie etwa Abraham Lincoln für die Ameri-

lächelnd *smiling* kaner? Aber Herr Hansen antwortete lächelnd:

„Nun, von ‚Blut und Eisen' hatte Bismarck schon
gesprochen. Aber ein so wilder Mann, wie Sie glauben, war

30 er nicht. Bismarck war Realpolitiker, und er hielt nicht sehr
viel von demokratischen Methoden. Er glaubte fest daran:
Blut und Eisen sind der Preis für ein Deutsches Reich. Und
bitte vergessen Sie nicht: Bismarck wollte ein starkes
Deutschland, aber er hatte keine Pläne für eine deutsche

die Weltherrschaft *world* 35 Weltherrschaft."
domination
verwirklichen *to accomplish* „Hat Bismarck die großdeutsche Lösung verwirklicht?"
wollte eine Studentin wissen.

„Nein, das Reich, das Bismarck schuf, war ein Deutsches Reich ohne Österreich."

„Warum war Bismarck für das kleinere Reich?" fragte Peter sofort.

„Denken Sie daran, was ich eben gesagt habe", erwiderte Herr Hansen. „Bismarck war Realpolitiker. Er schuf, was er schaffen konnte. Das Österreich seiner Zeit war nicht bereit, seinen eigenen Staat aufzugeben, um ein Teil des Reiches zu werden. Vergessen Sie nicht: Die Österreicher waren auch stolz und die Habsburger Monarchie war noch ein mächtiger Staat."

„Ich glaube, wir müssen noch über das Verhältnis zwischen Preußen und Österreich vor 1871 sprechen", bemerkte Herr Brenner. „Wie Sie wahrscheinlich wissen, war in diesem Jahr die Reichsgründung. Bis dahin wollten sowohl Preußen als auch Österreich die erste Geige spielen."

„Wie die Österreicher immer alles musikalisch sagen", bemerkte Professor Meyer lachend. „Verstehen Sie den Ausdruck ‚die erste Geige spielen'?"

„Heißt das nicht führen oder leiten?" fragte John.

„Ja, ganz richtig", antwortete der Professor befriedigt.

„Wegen dieser Rivalität kam es 1866 zum Krieg zwischen Preußen und Österreich, nicht wahr?" warf Susan ein. „Und war das nicht ein Krieg Deutscher gegen Deutsche, ein ähnlicher Krieg wie unser Civil War?"

„Leider ja", antwortete Herr Hansen darauf. „Manche Historiker nennen ihn auch den ‚Bruderkrieg'."

„Sind Preußen und Österreich seit damals feindliche Brüder?" wollte John wissen.

„Nein", meinte Herr Hansen. „Nach diesem Krieg, in dem die Preußen siegten, zeigte Bismarck, daß er ein kluger Politiker war. Seine preußischen Generäle wollten nach Wien marschieren, aber er erlaubte es nicht. Er wollte Österreich nicht demütigen. Bismarck wußte: Wen man demütigt, der bleibt immer Feind. Er wollte aus dem Feind von gestern den Freund von morgen machen."

5 eben *just*

15 die Reichsgründung
  creation of the empire
die Geige *fiddle*

20 der Ausdruck *expression*

befriedigt *satisfied*

25

leider *unfortunately*

30

35 demütigen *to humiliate*

sich erkundigen *to inquire*	„Was geschah mit dem besiegten Österreich?" erkundigte sich John.

„Österreich mußte auf seine führende Stellung in deutschen Affären verzichten. Das war eigentlich alles; und damit war Bismarck zufrieden. Wie richtig er gehandelt hatte, zeigte sich ein paar Jahre später. 1870 kam es zum Krieg zwischen Preußen und Frankreich. Österreich blieb in diesem Krieg neutral: die nord- und süddeutschen Staaten halfen Preußen sogar. Als Frankreich besiegt war, stand der Reichsgründung nichts mehr im Weg. Die nord- und süddeutschen Staaten waren nun bereit, dem Reich beizutreten. Bismarck konnte den preußischen König als Deutschen Kaiser ausrufen. Erstmals seit vielen Jahrhunderten gab es wieder ein Deutschland."

„Deutschland ist eigentlich eine junge Nation, wenn man historisch denkt", meinte Peter. „Kaum zu glauben, daß unsere Vereinigten Staaten älter sind als Deutschland, wenigstens als Staat."

„Ich möchte noch Herrn Brenner etwas fragen", sagte Susan. „Welche Folgen hatte die Niederlage von 1866 für Österreich? Was geschah in Österreich nach diesem Krieg?"

„Österreich konzentrierte sich mehr auf seine eigenen Probleme", antwortete Herr Brenner. „Besonders auf das Nationalitätenproblem. Seit den Revolutionen des Jahres 1848 war es klar, daß die Ungarn, die Italiener, die Tschechen usw., also die nichtdeutschen Völker, unabhängig sein wollten. Die Regierung in Wien mußte etwas tun, um den Nationalitätenstaat zu retten. Man wußte: völlige Unabhängigkeit für diese Völker bedeutet das Ende des Habsburger Reiches. Man mußte einen Kompromiß finden, und man mußte ihn schnell finden. Der Kompromiß hieß: Teilung der Macht. So kam es 1867, also bald nach dem verlorenen Krieg, zum sogenannten ‚Ausgleich‘ mit Ungarn."

„Warum mit den Ungarn, aber nicht mit den Polen oder Tschechen?" wollte Susan wissen.

„Ungarn war die stärkste, aber auch die gefährlichste Nation innerhalb der Habsburger Monarchie; man mußte

Marginal glosses:
- handeln *to act* (line 5)
- bei-treten *to join* (line 12)
- aus-rufen *to proclaim* (line 13)
- kaum *hardly* (line 16)
- die Folge *consequence* (line 19)
- die Niederlage *defeat* (line 20)
- der Tscheche *Czech* (line 26)
- retten *to save* (line 29)
- der Ausgleich *arrangement* (line 34)

sie zuerst beruhigen. Die Ungarn erhielten weitgehende
Autonomie, und man machte sie zu Regierungspartnern. Seit
diesem ‚Ausgleich' von 1867 gab es die sogenannte Österreichisch-Ungarische Monarchie, die Doppelmonarchie.
Freilich, die slawischen Völker kamen bei dieser Teilung der 5
Macht zu kurz. Natürlich waren sie damit nicht zufrieden.
Sie warteten auf ihre Gelegenheit; diese kam 1918, am Ende
des Ersten Weltkrieges. Als der Habsburger Staat zusam-
menbrach, wollten sie von der Doppelmonarchie nichts
mehr wissen. Sie gründeten ihre eigenen Staaten.“ 10

„1866 kämpften Preußen und Österreich gegeneinander,
im Ersten Weltkrieg kämpften sie miteinander. Warum
eigentlich?“ fragte Peter.

„Das ist eine ziemlich komplizierte Sache, und ich will
hier nicht über Einzelheiten sprechen“, antwortete darauf 15
Herr Hansen. „Aber es waren vor allem die komplizierten
Bündnisse zwischen den Großmächten nach 1871, die
Deutschland und Österreich immer näher zusammenführten.
Bismarck wollte Frankreich nach seiner Niederlage von 1871
isolieren, was ihm auch gelang. Schwerer war es, sowohl 20
mit Österreich als auch mit Rußland gute Beziehungen zu
haben. Österreich und Rußland waren nämlich Rivalen am
Balkan. Bismarcks Nachfolger konnten weder Frankreich
isolieren noch die Freundschaft mit Rußland aufrechterhalten. Die unkluge Außenpolitik des jungen deutschen Kaisers 25
Wilhelm II. führte schließlich zu einer Isolierung Deutschlands und Österreichs von den übrigen Großmächten Europas; sie brauchten nun einander. Das erklärt, kurz gesprochen, die Partnerschaft dieser beiden Länder im großen
Krieg von 1914–1918.“ 30

beruhigen *to calm*

zu kurz kommen *to come off badly*

zusammen-brechen *to collapse*

die Einzelheit *detail*

das Bündnis *alliance*

die Beziehung *relation*

aufrecht-erhalten *to maintain*
die Außenpolitik *foreign policy*

ÜBUNGEN UND FRAGEN

A. Üben Sie die Aussprache der folgenden Wörter:

der Históriker   demokrátisch, die Demokratíe
der Patriót   der Generál

die Souveränität   neutrál
das Parlamént   sympathisíeren
liberál   sich konzentríeren
der Monárch, die Monarchíe   der Kompromíß
ignoríeren   die Autonomié
die Revolutión   die Isoliérung
die Affäre

B. Fragen:
   1. Warum ist Herr Brenner in Amerika?
   2. Was wissen Sie über den „Deutschen Bund"?
   3. Welche Pläne hatte die Frankfurter Nationalversammlung?
   4. Worüber diskutierte das Frankfurter Parlament?
   5. Was hat Bismarck für Deutschland getan?
   6. Was heißt: die erste Geige spielen?
   7. Welche Folgen hatte die Niederlage von 1866 für Österreich?
   8. Was geschah 1867 in Österreich?
   9. Warum waren Deutschland und Österreich Partner im Ersten Weltkrieg?

C. Zwei Tage später. — *Two days later.*
   Wie sagt man?
   1. Two days earlier.
   2. For two days.
   3. Two days ago.

D. Zwei junge Männer kamen mit ihm. — *Two young men came with him.*
   Ersetzen Sie (*substitute*) in diesem Satz „mit ihm" durch:
   with her, with us, with them, with you, with me.

E. Viele Deutsche. — *Many Germans.* Übersetzen Sie:
   1. Some Germans
   2. Few Germans
   3. A German (male)
   4. A German (female)
   5. No German.

5. Zwischen den beiden Weltkriegen

„Daß Deutschland und Österreich den Ersten Weltkrieg gemeinsam verloren, weiß ich. Und daß beide Länder zu Republiken wurden, ist mir auch bekannt. Aber warum haben sich die beiden Republiken nach 1918 nicht zusam- [5] mengeschlossen?" erkundigte sich Susan. „Soviel ich weiß, bestand Österreich nach diesem Krieg nur mehr aus dem kleinen Österreich von heute. Wollten die deutschsprechenden Österreicher nicht zu Deutschland gehören?"

sich zusammen-schließen *to unite*

bestehen aus *to consist of*

„Die Österreicher wollten damals einen Anschluß an [10] Deutschland, aber die Sieger erlaubten ihn nicht", erwiderte Herr Brenner. „Vom Standpunkt der Sieger kann man das auch verstehen, denn sie wollten die Besiegten nicht stärken, sondern schwächen. Aber das Selbstbestimmungsrecht, von dem Präsident Wilson in seinen 14 Punkten gesprochen hatte, [15] ignorierte man dabei. Im Jahre 1921 stimmte man in Österreich über den Anschluß ab; etwa 90% stimmten dafür. Aber das nützte nichts; der Anschluß blieb Theorie. Dieser Wunsch der deutschen Österreicher paßte nicht ins Konzept der Sieger." [20]

der Anschluß *annexation*

der Besiegte *defeated foe*
schwächen *to weaken*
das Selbstbestimmungsrecht *right of self-determination*
ab-stimmen *to vote*

nichts nützen *to be of no use*
passen *to fit*

„Wenn ich noch etwas dazu sagen darf", meinte Herr Hansen. „Ich glaube, daß man in Deutschland zu dieser Zeit an einem solchen Anschluß weniger Interesse hatte als in Österreich. Man hatte zuviele eigene Probleme."

„Wie ging es mit Deutschland und Österreich nach dem [25] Ersten Weltkrieg weiter?" fragte Peter.

„Herr Hansen", meinte Professor Meyer, „vielleicht sprechen Sie kurz über die Weimarer Republik."

„Ja, die Weimarer Republik, wie man Deutschland nach dem Ersten Weltkrieg nannte, erlebte viele Krisen. Das [30] kann man verstehen, wenn man weiß, mit welchen Handikaps diese Republik beginnen mußte: sie hatte Teile ihres Staatsgebietes verloren und mußte hohe Reparationen zahlen. Dazu kamen Streiks, Aufstände und schließlich die Inflation. In dieser Inflation wurde das deutsche Geld fast [35] wertlos. Nicht vergessen darf man die moralische Belastung. Die Deutschen mußten vor aller Welt sagen: Wir allein sind

erleben *to experience*

der Aufstand *insurrection*

die Belastung *burden*

schuldig sein *to be guilty*

der Aufstieg *rise*

obgleich *although*
der Mund *mouth*

die Weltwirtschaftskrise
  the Great Depression

die Zollunion *Customs Union*

trauen *to trust*
alleinig *sole*

am Krieg schuld gewesen. Die radikalen Elemente der ‚Rechten' und der ‚Linken', also besonders die Nationalsozialisten und die Kommunisten, taten ihr Möglichstes, um die junge und schwache Demokratie zu schwächen. Über

5 den Aufstieg Hitlers und seiner Nationalsozialistischen Partei haben Sie gewiß viel gehört und gelesen. 1933 gelang es Hitler, an die Macht zu kommen, und das war das Ende der Demokratie in Deutschland."

„Und was geschah in Österreich zu dieser Zeit?" Diese

10 Frage stellte John an den österreichischen Gast. „Ging es dort mit der Demokratie besser?"

„Österreich hatte es auch schwer. Stellen Sie sich vor: ein besiegtes Land, das über Nacht von einer Großmacht zum Kleinstaat wurde. Aber in den Zwanziger Jahren ging

15 es noch, obgleich es große wirtschaftliche Schwierigkeiten gab. Man lebte damals von der Hand in den Mund, wie wir sagen. Also von heute auf morgen, ohne Reserven. Aber es gab eine Demokratie; die wichtigsten Parteien nahmen noch in demokratischer Form am Leben des Staates teil. Dazu

20 gehörten die Sozialdemokraten, die Christlichsozialen und die Großdeutschen. Leider blieb es nicht dabei. Die Weltwirtschaftskrise, Sie nennen es ‚Depression', war auch für Österreich eine Katastrophe. Die Wirtschaftskrise führte zu politischen Krisen."

25 „Versuchte man nicht zu dieser Zeit, eine Zollunion zwischen Deutschland und Österreich zu bilden?" erkundigte sich Susan.

„Richtig. Das war im Jahre 1931", erwiderte Herr Brenner. „Aber das erlaubte man nicht; besonders Frankreich war dagegen. Der Internationale Gerichtshof in Den Haag

30 entschied schließlich mit 8:7 Stimmen gegen eine solche Zollunion."

„Herr Brenner, Sie sprachen eben von politischen Krisen in Österreich", sagte Peter. „Was meinen Sie

35 damit?"

„Keine Partei traute der anderen; jede fürchtete, daß die andere die alleinige Macht haben will. Und dann ist es zur Diktatur nicht mehr weit. Bald hatte jede Partei eine

Privatarmee, die sich um demokratische Regeln in der Politik nicht kümmerte. Die Furcht vor der Diktatur war nicht unberechtigt: 1934 versuchte man von zwei Seiten die Regierung durch einen Putsch zu stürzen. Zuerst kämpften die Sozialisten gegen die Regierung und fünf Monate später 5 versuchten es die Nazis. Beide Versuche mißlangen."

„Warum machten die Sozialisten einen Putsch?" fragte John.

„Die Konservativen und Klerikalen wollten die Sozialisten aus dem politischen Leben ausschalten. Sie 10 hatten Angst vor den ‚Roten‘, den Marxisten. Die Sozialisten wehrten sich dagegen und mobilisierten ihre Privatarmee, den sogenannten ‚Schutzbund‘. Die Regierung verbot dies, und so kam es zum offenen Kampf. Es gab Bürgerkrieg in mehreren Städten Österreichs. Natürlich hatten die 15 Sozialisten gegen die Armee keine Chancen."

„Und wie war die Sache mit den Nazis?" erkundigte sich Peter.

„Die Nazis ermordeten bei ihrem Coup d'etat im Juli 1934 den österreichischen Bundeskanzler Dollfuß. Das war 20 eine Tat, die Hitler und seine Regierung nicht verteidigen konnten. Hitler erklärte daher: ‚Die deutsche Reichsregierung hat mit dem Putsch österreichischer Nationalsozialisten nichts zu tun gehabt.‘ Nach diesen Ereignissen des Jahres 1934 verbot die konservative Regierung alle anderen Parteien. 25 Die Austrofaschisten, wie ihre Gegner sie nannten, waren nun allein an der Macht. Nun war es auch in Österreich mit der Demokratie zu Ende."

sich kümmern   *to care*

unberechtigt   *unjustified*
der Putsch   *uprising*
stürzen   *to topple*

aus-schalten   *to eliminate*

der Schutzbund   *"union of protection"*
verbieten   *to prohibit*
der Bürgerkrieg   *civil war*

die Sache   *matter*

der Bundeskanzler   *Chancellor of the Republic*
verteidigen   *to defend*

das Ereignis   *event*

ÜBUNGEN UND FRAGEN

A. Üben Sie die Aussprache der folgenden Wörter:

die Replublík	der Kommuníst
die Theoríe	die Katastróphe
das Konzépt	die Privátarmée
das Interésse	die Diktatúr

das Problém   mobilisíeren
der Nationálsozialíst   radikál

B. Fragen:
   1. Warum gab es nach dem Ersten Weltkrieg (1918) keinen
      Anschluß Österreichs an Deutschland?
   2. Welche Probleme hatte die Weimarer Republik?
   3. Was geschah 1933 in Deutschland?
   4. Wie lebte Österreich nach dem Jahre 1918?
   5. Warum gab es politische Krisen in Österreich?
   6. Was taten die Nazis bei ihrem Putsch im Jahre 1934?
   7. Was sagte Hitler nach diesem Putsch?

C. a) Ergänzen Sie die trennbaren Präfixe:
   b) setzen Sie jeden Satz in das Perfekt (*present perfect*)
   1. Die beiden Republiken schließen sich nicht _____.
   2. Man stimmte über den Anschluß _____.
   3. Wie ging es nach dem Ersten Weltkrieg _____.
   4. Die wichtigsten Parteien nahmen am Leben des Staates _____.
   5. Die Konservativen schalteten die Sozialisten aus dem politischen
      Leben _____.

D. Setzen Sie die folgenden Sätze in das Imperfekt (*past tense*) und in
   das Perfekt (*present perfect*); beachten Sie (*note*) den „doppelten
   Infinitiv" im Perfekt.

   Beispiel: Das kann man auch verstehen.
             Das konnte man auch verstehen.
             Das hat man auch verstehen können.

   1. Sie wollen den Besiegten nicht stärken.
   2. Ich darf noch etwas dazu sagen.
   3. Sie können darüber abstimmen.
   4. Er muß die Schuld auf sich nehmen.
   5. Ihr mögt die Diktatur nicht.
   6. Du sollst ihn fragen.

6. Der Anschluß

„Ich kann mir vorstellen, daß die Ereignisse des Jahres
1934 den Anschluß Österreichs an Deutschland vorbereitet
haben, oder zumindest erleichtert", meinte Peter.

vor-bereiten *to prepare*
erleichtern *to make easier*

„Ja, zu einem gewissen Grad", antwortete Herr Bren- 5
ner. „Viele Österreicher, die den autokratischen Staat nach
1934 ablehnten, fürchteten um die Zukunft Österreichs.
Die österreichischen Nazis und die Deutschnationalen
arbeiteten nun aktiver für einen direkten Anschluß an das
Deutsche Reich." 10

ab-lehnen *to reject*
die Zukunft *future*

„Machen Sie einen Unterschied zwischen Nazis und
Deutschnationalen?" wollte jemand wissen.

„Ja, ich glaube, man sollte ihn machen", erwiderte
Herr Brenner. „Nicht alle Deutschnationalen in Österreich
— man nannte sie auch Großdeutsche — waren National- 15
sozialisten. Die Nazis glaubten an Hitler und seine Ideologie; die Deutschnationalen wünschten nur den Anschluß
Österreichs an das Deutsche Reich, denn sie fühlten sich als
Deutsche. Unter den Deutschnationalen gab es viele, die
Hitler und sein Programm ablehnten. Für sie gab es nur 20
diese Alternative: entweder Anschluß an das Deutsche
Reich unter Hitler — oder gar keinen Anschluß. Das erstere
war ihnen wichtiger."

sich fühlen (als) *to consider oneself*

„Wenn ich dazu etwas sagen darf", setzte Professor
Meyer hinzu: „Die deutschnationale Bewegung gab es in 25
Österreich schon viel länger als die nationalsozialistische.
Erinnern Sie sich an die ‚großdeutsche Lösung' der Frankfurter Nationalversammlung im Jahre 1848; damals diskutierte man auch über einen Anschluß Österreichs an Deutschland. Ich glaube, daß es falsch ist, in jedem Österreicher 30
einen Nazi zu sehen, der sich in den Dreißiger Jahren den
Anschluß wünschte."

die Bewegung *movement*

falsch *wrong*

„Übrigens, die Großdeutschen in Österreich waren
meistens sehr bürgerlich. Hitler hatte wenig Respekt für
diese ‚Bourgeois' — aber er verwendete sie für seine 35
Zwecke."

bürgerlich *middle class*

der Zweck *purpose*

„Sah die österreichische Regierung nach 1934 nicht

die Gefahr eines Anschlusses?" war Susans nächste Frage. „Hat sie nichts dagegen getan?"

verhandeln *to negotiate*
scheinen *to seem* ..

„Oh doch", erwiderte Herr Brenner. „Man verhandelte mit der Regierung Hitlers in Berlin und schien Erfolge zu
5 haben. Im sogennanten ‚Juliabkommen‘ vom Jahre 1936 garantierte Hitler die Unabhängigkeit Österreichs; die öster-

versprechen *to promise*

reichische Regierung mußte dafür versprechen, den öster- reichischen Nationalsozialisten Amnestie zu geben. Seit

das Gefängnis *jail*
ernst *serious*

dem Putsch im Juli 1934 saßen ja manche Nazis im Ge-
10 fängnis. Wie ernst es Hitler mit seinem Versprechen war, zeigte das Jahr 1938."

„Hat man noch anderes versucht, zum Beispiel in Österreich selbst?" erkundigte sich John.

Vaterländische Front
"Patriotic Front"

„Gewiß", meinte Herr Brenner. „Die österreichische
15 Regierung hatte 1933 die sogenannte ‚Vaterländische Front‘ gegründet. In ihr wollte man alle christlich-konserva-

die Kraft *force*
das Staatsbewußtsein
  belief in one's country

tiven Kräfte zusammenführen. Es war ein Versuch, durch die ‚Vaterländische Front‘ das österreichische Staatsbewußt- sein zu stärken. Aber zuviele Österreicher hatten schon den
20 Glauben an ihren Staat verloren. Und in der Geschichte ist es immer so gewesen: Wenn die Menschen nicht mehr an ihren Staat glauben, dann ist er in höchster Gefahr."

„Herr Hansen, wie dachte man in Deutschland zu dieser Zeit über einen Anschluß Österreichs? Wollten die Deut-
25 schen wirklich diesen Anschluß?" fragte Paul.

bedenken *to consider*

„Diese Frage ist besonders schwer zu beantworten, denn bedenken Sie: Wer sprach nach 1933 für Deutschland? Die Parteien? Es gab nur noch Hitlers Partei. Eine freie Presse? Es gab nur mehr eine zensierte Presse. Die Regierungen
30 der deutschen Länder? Es gab nur mehr Hitlers Regierung

die Stimme *voice*

in Berlin. Man hörte also nicht mehr die Stimme Deutsch- lands, sondern nur die Stimme des nationalsozialistischen Regimes. Man weiß wirklich nicht, wie das deutsche Volk über den Anschluß dachte. Hitler wollte ihn jedenfalls;
35 darüber schreibt er auch in seinem Buch ‚Mein Kampf‘."

„Und warum wollte Hitler den Anschluß?" fragte Paul weiter.

„Das ist ziemlich klar", erwiderte Herr Hansen. Er

wollte ein ‚Großdeutschland' schaffen; ein größeres Deutschland bedeutete ein mächtigeres Deutschland. Und Macht bedeutete Hitler alles. Außerdem hatte er dem deutschen Volk versprochen, den Versailler Vertrag zu beseitigen."   beseitigen   *to do away with*

„War Hitler nicht selbst Österreicher?" warf John ein.   5
„Sagte er nicht einmal: Ich will meine Heimat wieder ins Reich führen."

„Ja, das stimmt", sagte Professor Meyer. „Aber das war mehr Propaganda als der wirkliche Grund für den Anschluß. Wie Herr Hansen schon sagte: Der Anschluß   10 war für Hitler eine Frage der Macht und des Prestiges. Daß er diese Aktion geplant hatte, darüber gibt es keinen Zweifel.   der Zweifel   *doubt*
Nur über die Form und den Zeitpunkt der Aktion war er sich nicht im klaren."

„Herr Hansen, kennen Sie übrigens diese Geschichte?"   15
fragte der Professor seinen Gast. „1937 war der österreichische Staatssekretär Schmidt im Haus des preußischen   der Staatssekretär   *Secretary of State*
Ministerpräsidenten Göring zu Gast. Göring hatte Schmidt anläßlich einer Jagdausstellung eingeladen. Göring zeigte   anläßlich   *on the occasion*
die Jagdausstellung   *hunting exhibition*
Schmidt eine Landkarte, auf der Österreich bereits ein Teil   20   die Landkarte   *map*
Deutschlands war. Schmidt sagte darauf: Herr Ministerpräsident, ich glaube, Sie sind den Ereignissen weit voraus.   voraus   *ahead*
Göring antwortete: So wird sich die Lage entwickeln.
Übrigens, für uns Jäger gibt es nur eine Grenze, die Revier-   der Jäger   *hunter*
die Reviergrenze   *hunting ground*
grenze; und nur ein Gesetz, nämlich nicht zu wildern. Worauf   25   wildern   *to hunt illegally*
Schmidt antwortete: Das Gesetz, nicht zu wildern, gilt auch für die Politik . . ."

„Ich habe noch eine Frage an Herrn Brenner", sagte Susan schnell „War die Mehrzahl der Österreicher im   die Mehrzahl   *majority*
Jahre 1938 für oder gegen den Anschluß?"   30

„Mein Fräulein, Sie stellen eine Frage, die man heute schwer beantworten kann."

„Hatten die Österreicher die deutschen Truppen nicht mit Blumen begrüßt? Gab es nicht überall großen Jubel?   die Blume   *flower*
der Jubel   *rejoicing*
Ich habe dies in Filmen gesehen", sagte Susan.   35

„Aber weißt du auch, daß die Gestapo sofort nach dem Einmarsch Tausende von Österreichern verhaftet hatte?   verhaften   *to arrest*
Über 70.000 allein in Wien", warf Peter schnell ein.

trauern *to mourn*

irgendwie *somehow*

ab-warten *to wait and see*
keinen Sinn haben *to make
no sense*

erwarten *to expect*

der Zufall *coincidence*

dienen *to serve*

der Narr *fool*

der Waise *orphan*

„Mir hat man erzählt, daß ein Teil der Österreicher damals jubelte und ein anderer Teil trauerte", meinte John.

„Meine Damen und Herren", sagte Herr Brenner, „Sie haben alle irgendwie recht. Es gab damals Österreicher, die
5 für den Anschluß waren; es gab andere, die gegen den Anschluß waren. Und schließlich gab es noch welche, die einfach abwarten wollten. Es hat keinen Sinn, hier nach Statistiken zu fragen oder zu verallgemeinern. Eines ist aber sicher: Vielen Österreichern, die 1938 zum Anschluß ja
10 sagten, hat dies später leid getan. Gewiß, diese Österreicher wollten ihr Land als einen Teil des Deutschen Reiches sehen. Aber wollten sie wirklich ein Teil des nazistischen Polizeistaates sein? Sie wußten damals nicht, was sie erwartete. Wissen Sie übrigens, wer als einer der ersten Repräsentanten
15 der deutschen Regierung am 13. März nach Wien kam? — Heinrich Himmler, der Reichsführer der SS und oberste Chef der Gestapo. Das war mehr Omen als Zufall!

Ich glaube wirklich, daß sich viele prodeutsche Österreicher ihr Großdeutschland anders vorgestellt hatten.
20 Österreich mußte später einen hohen Preis für den Anschluß zahlen. 300.000 Österreicher, die während des Zweiten Weltkrieges in der deutschen Armee dienen mußten, kamen nicht mehr nach Hause . . ."

Die Diskussion war ziemlich ernst geworden. Fast zu
25 ernst. Susan tat dies leid, und so sagte sie: „Es heißt doch im Deutschen ‚Narren und Kinder sprechen die Wahrheit'? Kennen Sie diese kleine Geschichte, die mir ein Österreicher erzählt hat?

„Nach dem Anschluß besuchte ein hoher Naziführer
30 eine österreichische Schule. Der Lehrer hatte die Schüler für diesen Besuch gut vorbereitet. Wer ist dein Vater? fragte der Naziführer den kleinen Hans. — Mein Vater ist jetzt Adolf Hitler! antwortete Hans sofort. — Und wer ist deine Mutter? fragte der Besucher weiter. — Meine Mutter ist
35 jetzt Deutschland! erwiderte Hans. — Und was möchtest du in unserem Großdeutschland werden? wollte der Naziführer wissen. — Pause — und dann sagte Hans leise: Waise, wenn es möglich ist."

Alle lachten und waren Susan für ihren Witz dankbar.
„Leider war es nicht so leicht, wieder ‚Waise‘ zu werden“,
sagte Herr Brenner. „Und es ging auch nicht so schnell, wie
es in einem anderen Witz aus dieser Zeit heißt. Kennen sie
ihn?“   5

„Es war im März 1938 wenige Tage nach dem Anschluß.
Zwei Wienerinnen sahen ein großes Plakat WIEN IST   das Plakat *poster*
FREI auf der Straße. Was, sagte die eine zur anderen, sind
die Deutschen schon wieder weg?“

„Was haben die anderen Länder Europas getan, als 10
Hitler in Österreich einmarschierte?“ fragte Mary. Noch
bevor jemand antworten konnte, stellte Susan eine andere
Frage.

„Was haben wir getan, als die Russen 1956 die Revolution in Ungarn niederschlugen? Was haben wir getan, als 15
die Russen im Jahre 1968 in die Tschechoslowakei ein-
marschierten?“

„Gar nichts“, antwortete nun Herr Hansen. „Einige
Länder protestierten, andere schwiegen. Es geschah nichts,   schweigen *to be silent*
man akzeptierte den Fait accompli. Dieselben Länder, die 20
Deutschland und Österreich noch 1931 eine Zollunion ver-
boten hatten, erlaubten jetzt einen völligen Anschluß.
Welche Ironie! Was man der deutschen und österreichischen
Demokratie im Jahre 1931 nicht erlaubt hatte, erlaubte man
1938 dem Nazi-Diktator. Und warum? Frankreich fühlte 25
sich nicht stark genug, allein zu handeln; England sah im
Anschluß eine innerdeutsche Angelegenheit.“   die Angelegenheit *matter*

„Und Italien?“ fragte John. „Hatte nicht Mussolini[1]
versprochen, Österreich zu schützen?“   schützen *to protect*

„Ja, das hatte er getan. Aber seit dem Krieg in Äthio- 30
pien, also seit 1936, waren das faschistische Italien und
das nationalsozialistische Deutschland Freunde. Und
übrigens . . .“

Das war nicht das Ende dieser Diskussion über den 35
„Anschluß“. Sie sprachen noch weiter darüber: Wie es dazu

1 Diktator des faschistischen Italien von 1922–1943

verhindern *to prevent*
usw. (und so weiter) *and so forth*
ergänzen *to add to*
der Ausspruch *statement*

das Abkommen *agreement*

an-erkennen *to recognize*

sich bekennen *to declare oneself*

fordern *to demand*
die Aufnahme *admission*

zurück-treten *to resign*

das Reichsgesetz *federal law*

dar-stellen *to represent*

die Absicht *intention*

kam, wer dafür war, wer dagegen war, warum man ihn nicht verhindern konnte, usw.

Ergänzen wir diese Diskussion noch durch einige Daten, Aussprüche und Parolen aus dieser Zeit vor und 5 während des Anschlusses. Wer sie heute liest, muß leider sehen: zwischen dem, was Politiker sagen, und was sie tun, ist oft ein großer Unterschied.

Was damals geschah:

27. September 1934: Drei-Mächte-Deklaration. Frankreich, 10 Italien und England versprachen, die Unabhängigkeit und Integrität Österreichs zu schützen.

11. Juli 1936: Abkommen zwischen Deutschland und Österreich. Die deutsche Reichsregierung anerkennt die volle Souveränität des Bundesstaates Österreich. Öster-15 reich bekennt sich als deutscher Staat.

12. Februar 1938: Konferenz zwischen dem österreichischen Bundeskanzler Kurt von Schuschnigg und Adolf Hitler in Berchtesgaden. Hitler fordert die Aufnahme von Nationalsozialisten in die österreichische Regierung.

20 4. März 1938: Die Führer der österreichischen Sozialisten erklären sich bereit, für die Unabhängigkeit Österreichs zu kämpfen.

11. März 1938: Die österreichische Regierung tritt zurück. Deutsche Truppen marschieren in der Nacht in Öster-25 reich ein.

13. März 1938: Hitler unterschreibt das Reichsgesetz über die Vereinigung Österreichs mit dem Deutschen Reich.

Was man damals sagte:

Der österreichische Bundeskanzler Ignaz Seipel im Jahre 30 1927: „Deutschland und Österreich sind ein Volk und zwei Staaten.“

Der österreichische Bundeskanzler Engelbert Dollfuß im Jahre 1934: „Die ,Vaterländische Front' stellt eine eigene, unabhängige, große vaterländische Bewegung Öster-35 reichs dar.“

Adolf Hitler im Mai 1935: „Deutschland hat nicht die Absicht, Österreich zu annektieren oder anzuschließen.“

Hermann Göring, Preußens Ministerpräsident, im Oktober 1937: „Niemand wird bei einem Einmarsch in Österreich die Deutschen aufhalten können; höchstens die Blumen, die man uns streuen wird."

auf-halten *to stop*
streuen *to strew*

Der englische Botschafter in Berlin zu einem Kollegen im Winter 1937/38: „Ich verstehe nicht, warum sich die Österreicher dem Anschluß widersetzen. Sie sind doch wie Bayern, Sachsen usw. auch Deutsche." 5

der Botschafter *ambassador*

widersetzen *to resist*

Der österreichische Bundeskanzler Kurt von Schuschnigg in einem Interview für den „Daily Telegraph" im Januar 1938: „Wir wollen den Status quo! Wir wollen kein 10 zweites Bayern werden und nicht zum Rang einer Provinz herabsinken! Wir wollen keinen Anschluß! Wir wollen selbständig sein! So wollen wir sein und leben!"

herab-sinken *to become degraded*

Parolen der österreichischen Nationalsozialisten kurz vor dem Anschluß: „Wer gegen ein Großdeutschland ist, 15 ist ein Verräter des deutschen Volkes. Der ,deutsche Weg' ist der richtige Weg. Ein Volk, ein Reich, ein Führer!"

der Verräter *traitor*

Schuschnigg im März 1938: „Für ein freies und deutsches, unabhängiges und soziales, für ein christliches und einiges Österreich! Für Friede und Arbeit! Und für die 20 Gleichberechtigung aller, die sich zu Volk und Vaterland bekennen."

der Friede *peace*
die Gleichberechtigung *equality*

Hitler in einem Brief an Mussolini im März 1938: „Ich bin nun entschlossen, in meiner Heimat Ordnung und Ruhe wieder herzustellen." 25

entschlossen sein *to be determined*
(wieder) her-stellen *to restore*

Schuschnigg in seiner letzten Rede am 11. März 1938: „Wir weichen der Gewalt. Gott schütze Österreich."

weichen *to yield*

Hitler am 15. März 1938 in Wien: „Als Führer und Kanzler der deutschen Nation und des deutschen Reiches melde ich nun vor der Geschichte den Eintritt meiner 30 Heimat in das Deutsche Reich."

melden *to report*
der Eintritt *admittance*

Joseph Goebbels, Hitlers Propagandaminister, am 13. März 1938: „Es gibt keine Österreicher mehr, es gibt nur mehr Deutsche."

Heute gibt es wieder Deutsche und Österreicher; es gibt 35 wieder ein Österreich und — leider — zwei Deutschland. Der Anschluß des Jahres 1938 war mehr als eine Episode in

der Geschichte Deutschlands und Österreichs. Für Österreich bedeutete dieses Ereignis das Ende seiner staatlichen Existenz. Für wie lange? Die Nazis hatten große Pläne; sie sprachen damals von einem „Tausendjährigen Reich". Es
5 waren die kürzesten „tausend" Jahre in der Geschichte Deutschlands. Der Krieg, in den Hitler das deutsche Volk
stürzen *to plunge*
zerstören *to destroy*
stürzte, zerstörte das Reich nach zwölf Jahren. Sieben Jahre lang gab es kein selbständiges Österreich; von 1938 bis 1945 war Österreich nur ein Teil des Nazi-Reiches. Nach dem
erstehen *to rise*
10 Zweiten Weltkrieg erstand ein neues Österreich, die Zweite Republik, das heutige Österreich.

Deutschland und Österreich sind heute wieder gute Nachbarn. In den ersten Jahren nach dem verlorenen Krieg
teilen *to share*
die Besetzung *occupation*
die Wohnungsnot *shortage of housing*
teilten sie das Schicksal des Verlierers: Besetzung durch
15 fremde Truppen, Hunger, Wohnungsnot, Flüchtlinge. Als Staaten gingen sie ihre eigenen Wege. An einen Anschluß dachte niemand mehr, weder die Deutschen noch die Österreicher. Deutschland erlebte seine eigene Teilung in ein demokratisches Westdeutschland und ein kommunistisches
20 Ostdeutschland. Im Jahre 1955 gaben die Alliierten Österreich endlich seine volle Unabhängigkeit; es mußte dafür versprechen, im „Kalten Krieg" zwischen Ost und West neutral zu bleiben. Österreich hat heute einen ähnlichen Status wie die Schweiz oder Schweden. Als neutrales Land
die Brücke *bridge*
25 versucht Österreich, Brücken zwischen dem Osten und dem Westen zu bauen. Man darf nur hoffen, daß ihm dies gelingt. Die Welt von heute braucht solche Brücken!

ÜBUNGEN UND FRAGEN

A. Üben Sie die Aussprache der folgenden Wörter:

der Präsidént	das Plakát
die Ideologíe	die Tschechoslowakeí
die Alternatíve	die Zóllunión
die Amnestíe	die Paróle

die Aktión   die Integrität
die Revíergrenze   díe Episóde
der Repräsentánt   die Existénz

B. Fragen:
  1. Warum wünschten die Deutschnationalen den Anschluß?
  2. Was versprach Hitler im Juliabkommen von 1936?
  3. Was wollte die „Vaterländische Front"?
  4. Warum wollte Hitler den Anschluß?
  5. War die Mehrzahl der Österreicher für oder gegen den Anschluß?
  6. Was taten die Großmächte Europas, als Hitler in Österreich einmarschierte?
  7. Welches Schicksal teilten Deutschland und Österreich nach dem Zweiten Weltkrieg?

C. Sprechen Sie über das Kapitel „Historische Perspektiven: eine Diskussion" mit verteilten Rollen (*assigned parts*).

D. Es gelang ihnen. — *They succeeded.* Übersetzen Sie:
  1. We did not succeed.
  2. I will succeed.
  3. She has succeeded.
  4. Didn't you succeed?
  5. They succeed.

E. Sie interessierte sich für dieses Problem. — *She was interested in this problem.* Übersetzen Sie:
  1. I am interested in books.
  2. We were interested in his work.
  3. He is interested in history.
  4. He is interested in her.
  5. She is interested in music.
  6. They have been interested in politics.
  7. Are you interested in the countries of Europe?

IV

<table>
<tr><td>das Tagebuch
diary</td><td>

Aus einem Tagebuch: Wiedersehen mit Deutschland und Österreich

</td></tr>
</table>

Nürnberg, 8.7.

Ich kann es noch gar nicht glauben: ich bin wieder zu Hause in meiner Vaterstadt. In der Stadt, in der ich geboren bin, in der ich zur Schule ging. In der Stadt, in der meine Familie
5 gelebt hatte, bis wir 1946 nach Kanada auswanderten. Aber ist das wirklich noch das Nürnberg, das wir gekannt haben? Wieviel hat sich hier verändert! Das ist nicht dasselbe Nürnberg, das wir vor zwölf Jahren verlassen haben.

Ich erinnere mich noch gut an den Abend im November
10 1946, als wir unsere Koffer zum Bahnhof trugen. Wohin man schaute — nichts als Trümmer und Ruinen. Es war damals so dunkel und so still wie auf dem Mond. Man konnte kaum glauben, daß inmitten dieser Trümmer noch Menschen lebten. Nürnberg war damals fast eine tote Stadt. Was hatte
15 mein Geschichtslehrer einmal über meine Vaterstadt gesagt: Nürnberg ist steinreich an Tradition; 1946 war Nürnberg nur reich an Steinen, reich an Trümmern.

Aber ich erinnere mich noch an etwas anderes: Inmitten dieser Zerstörung gab es eine seltsame Ordnung. Die
20 Straßen waren frei und fast sauber; vor vielen Ruinen hatte man die Ziegel genau aufeinander gelegt. Man hatte das Gefühl, als wollte jemand sagen: Ordnung muß sein, Ordnung auch inmitten der Trümmer. Not ist keine Entschuldigung für Unordnung.

Glossary (margin):

die Vaterstadt *native town*

aus-wandern *to emigrate*

sich verändern *to change*

der Koffer *suitcase*
der Bahnhof *station*
die Trümmer *debris*

steinreich *immensely rich*

der Stein *stone*

seltsam *strange*

sauber *clean*

der Ziegel *brick*

das Gefühl *feeling*
die Entschuldigung *excuse*
die Unordnung *disorderliness*

Nürnberg, Brunnen vor der Sebalduskirche

Nürnberg, 10.7.:

Nürnberg soll eine tote Stadt sein? Nicht mehr! Es ist un-
glaublich, wieviel man in den paar Jahren wieder aufgebaut   unglaublich *unbelievable*
hat. „Hilf' dir selbst, dann hilft dir Gott". Ja, das haben
meine Nürnberger getan. Freilich, ganz ohne Hilfe ging es 5
nicht. Vielleicht sollte das Sprichwort heißen: „Hilf dir selbst,
dann hilft dir Gott — und der Marshall-Plan".

Schön finde ich, daß man die Innenstadt im alten Stil
aufgebaut hat. Ich glaube, man wollte den Charakter
Nürnbergs bewahren. War Nürnberg nicht für uns alle das 10 bewahren *to preserve*
Symbol der deutschen Stadt? War es nicht die Stadt mit
typisch deutschem Charakter? Deutscher Charakter —

was das wohl ist *what that may be*

das Stück *piece*
das Fastnachtspiel *Shrovetide play*

die Tüchtigkeit *ability*

halten (für) *to regard as*
erfinden *to invent*

edel *noble*
gemein *mean*

das Dorf *village*

anständig *decent*

das Baumaterial *building material*
der Maurer *bricklayer*

was das wohl ist? Zum Charakter gehört das Denken und Handeln der Menschen. Hier in Nürnberg haben sehr verschiedene Deutsche gedacht, gehandelt, geschaffen.

5 Heute früh stand ich vor dem Dürer-Haus. Ja, Albrecht Dürer, der große Meister, hat auch hier gelebt. Eine Reproduktion seines „Ritter, Tod und Teufel" hatte ich 1946 mit nach Kanada genommen. Zu Hause hängt sie in meinem Zimmer; ein Stück alte Heimat in der neuen Heimat. Durch die Straße, in der Hans Sachs seine Fastnachtspiele geschrie-
10 ben hatte, ging ich heute auch. Dürer, Sachs — sie gehören zu Nürnberg, dieser typisch deutschen Stadt. Und die Nazis hatten ihre pompösen Parteitage auch in Nürnberg...

Typisch deutsch? Was ist das? Die einen denken dabei an Fleiß, Tüchtigkeit und Ehrlichkeit; die anderen an Arro-
15 ganz, an den Willen zur Macht, ja an Brutalität. Die einen halten uns für das Volk der „Dichter und Denker"; die anderen für das Volk, das die Konzentrationslager erfunden hat. Was hat Friedrich Nietzsche im „Ecce Homo" über das deutsche Volk gesagt: „Wie steht da das Edelste und Ge-
20 meinste nebeneinander."

Nürnberg, 12.7.:

Gestern hat mir mein alter Freund Paul Kramer Buchenbühl gezeigt. Buchenbühl ist ein kleines Dorf in der Nähe von Nürnberg. Nach dem Krieg wollte Buchenbühl etwas
25 gegen die große Wohnungsnot tun. Die Behörde war bereit, Land für Wohnhäuser zu geben. Aber sie hatte nicht die Mittel, Häuser zu bauen. Da hatten 200 Familien, die seit Jahren eine anständige Wohnung suchten, einen Plan. Sie beschlossen, selbst 100 Zweifamilienhäuser zu bauen. Wie?
30 Sie hatten ja auch keine Mittel. Viele von ihnen hatten im Krieg durch Bomben fast alles verloren; einige waren Flüchtlinge aus dem Osten. Wie konnten sie 100 Häuser bauen? „Wo ein Wille ist, ist auch ein Weg..."

Sie begannen mit einem kleinen Fond. Ich glaube, jede
35 Familie zahlte 20 Mark in diesen Fond. Damit kauften sie das Baumaterial für das erste Haus. Sie konnten es selbst bauen, denn unter ihnen gab es Architekten, Maurer, Zim-

merleute usw. Die anderen, die vom Bauen nichts verstanden, arbeiteten als Hilfsarbeiter. Jede Familie mußte am Bau aller 100 Häuser mitarbeiten. Wer selbst nicht arbeiten konnte, schickte Arbeiter auf eigene Rechnung.

Als das erste Haus fertig war, erhielten sie von einer 5 Bank eine Hypothek auf dieses Haus. Mit diesem Geld kauften sie Baumaterial für das nächste Haus; und so ging es weiter. Vier Jahre lang opferten diese Familien ihre Abende, ihre Wochenenden, ihre Ferien. Und nach vier Jahren lebten 200 Familien in ihrem eigenen Heim. Wer 10 zog in das erste Haus ein und wer in das letzte? Als sie mit dem Bau des ersten Hauses begannen, warfen sie Lose mit den Nummern 1–100 in die Mischmaschine. Frau Fortuna war sehr demokratisch . . .

Pauls Onkel wohnte in einem dieser Häuser. Er hatte 15 uns zum Kaffee eingeladen und so konnte ich ein solches Haus auch von innen sehen. Sie sind gut und gründlich gebaut. „Made in Germany" war schon immer ein Symbol

die Zimmerleute (pl.) *carpenters*
der Hilfsarbeiter *unskilled worker*
auf eigene Rechnung *at one's own expense*
fertig sein *to be ready*

opfern *to sacrifice*

ein-ziehen *to move into*
werfen *to throw*
die Mischmaschine *concrete mixer*

ein-laden *to invite*
gründlich *thorough*

Das Dürer-Haus in Nürnberg

Wien, die neu aufgebaute Staatsoper

die Wissenschaft *scholarship*
die Forschung *research*
der Verbrecher *criminal*

kürzlich *not long ago*
leisten *to do*

der Wiederaufbau
  reconstruction

für Qualität. Was die Deutschen machen, machen sie gründlich. Das zeigt sich auch in der Wissenschaft und in der Forschung. Die Deutschen sind stolz darauf, und mit Recht. Aber was geschieht, wenn deutsche Verbrecher so gründlich arbeiten? Welche Tragik! Ich mußte daran denken, als ich kürzlich in der Nähe von Dachau war. Dort leistete man auch „gründliche Arbeit". Wie viele Menschen ermordeten die Nazis in ihren Konzentrationslagern, 6 Millionen . . .?

Wien, 20.7.:

Hier in Wien baut man auch, aber ich glaube man baut etwas langsamer und gemütlicher. In Wien gibt es auch zu wenig Wohnungen; auch hier suchen viele Menschen nach einem Heim. Aber das wichtigste Bauprojekt in Wien hatte nichts mit Wohnungen zu tun: es war der Wiederaufbau

der Staatsoper.[1] Der Aufbau ihrer geliebten Oper war den
Wienern wichtiger als der Bau von Wohnhäusern. Vielleicht muß man Wiener sein, um das zu verstehen. Das
wurde mir klar, als ich mit einem älteren Wiener in einem
Kaffeehaus saß.   5

„Wissen Sie, wir Österreicher haben ja heute nicht mehr
viel", meinte er. „Wir sind nicht mehr das große Österreich
von einst. Wir sind ein kleines Land geworden; wir sind
kein reiches Land, und wir haben in der großen Politik
nichts mehr zu reden. Aber in der Kunst, und vor allem in 10
der Musik, da sind wir heute noch eine Großmacht. Das
wissen auch die anderen, und darum haben wir unsere Oper
wieder schnell aufgebaut. Wien ohne seine Staatsoper — das   das geht nicht *that is*
geht einfach nicht."   *impossible*

[1] Bomben hatten die Wiener Staatsoper in den letzten Wochen des Zweiten
Weltkrieges zerstört.

Wien, Hofburg und Kunsthistorisches Museum

„Denken Sie nur daran, wer in Wien Musik gemacht hat: Der Strauß, unser Walzerkönig, aber auch Haydn, Mozart, Schubert, Beethoven, Brahms. Da müssen wir doch etwas für die Musik tun, auch wenn wir sonst wenig
5 haben."

Ich merkte, daß der Herr in seinem Element war, wenn man von Musik sprach. So fragte ich ihn: „Spielt man in Wien auch oft Wagner?"

„Oh freilich", erwiderte er sofort, „der Wagner ist ja
10 auch ein großer Musiker. Aber wissen Sie, mir persönlich ist der Wagner zu heroisch. Der kämpft immer, der ist so typisch deutsch. Da ist mir der Strauß und der Mozart lieber; die singen und tanzen. Ich glaube, das liegt uns Österreichern mehr."

es liegt uns mehr   it appeals more to us

15 „Ich hatte noch eine andere Frage über Musik, die mich interessierte. Als ich bei der Eröffnung der Wiener Festspiele die österreichische Bundeshymne gehört hatte, war ich sehr erstaunt. Das war nicht die Hymne, die ich kannte: die schöne Hymne von Joseph Haydn mit der
20 Melodie aus dem ‚Kaiserquartett‘."

die Eröffnung   opening
die Bundeshymne   national anthem
erstaunt sein   to be surprised

„Sagen Sie", fragte ich den Herrn, „hat Österreich jetzt eine neue Bundeshymne?"

„Ja, leider", antwortete er. „Die neue, die vom Mozart, ist zwar auch sehr schön, aber es fehlt die Tradition. Wenn
25 Sie denken, wie lange wir Österreicher die Haydnhymne hatten. Freilich, zu verschiedenen Zeiten gab's verschiedene Texte, aber die Melodie war immer dieselbe. Und das war wohl das Wichtigste."

„Warum haben Sie jetzt eine neue Hymne", wollte ich
30 von ihm wissen.

„Ja, wissen Sie, nach 1945 hat unsere Regierung zeigen wollen, daß Österreich nichts mehr mit Deutschland zu tun hat. Da die Deutschen die Haydn-Hymne auch hatten, mußten wir eine andere bekommen. Man muß an die
35 Meinung der Welt denken, dachten unsere Politiker. Die Melodie der Haydn-Hymne erinnert zu sehr an Hitler und an die Nazis. Und an Deutschland. Daß die Deutschen diese Hymne lange vor Hitler hatten, vergaßen sie. Freilich, die

da   since

die Meinung   opinion

Deutschen singen heute auch nicht mehr die erste Strophe
von ihrem ,Deutschland, Deutschland, über alles', sondern
die dritte. ,Einigkeit und Recht und Freiheit für das deutsche
Vaterland', das klingt friedlicher. Diesen Wechsel kann
ich gut verstehen; die Deutschen wollen niemand an Krieg 5
erinnern, besonders nicht an den letzten. Aber die Melodie
ihrer Hymne haben sich die Deutschen nicht nehmen
lassen. Und die Melodie ist doch das Wichtigste. Ich finde,
daß man eine Hymne nicht wechselt wie ein Hemd. Aber
mich haben die Herren Politiker nicht gefragt, und jetzt ist 10
es geschehen. Da kann man gar nichts machen, da kann man
gar nichts machen."

Den letzten Satz hatte der ältere Herr ganz langsam
und resignierend gesprochen. Ich konnte sehen, er trauerte
um seine Haydn-Hymne. Aber das österreichische Motto 15
für alle Krisen schien ihm zu helfen: ,,Da kann man gar
nichts machen". Das heißt soviel wie: Nicht zu lange
trauern — glücklich ist, wer vergißt, was nicht mehr zu ändern ist.

,,Herr Ober, noch einen Kaffee mit Schlag, bitte", 20
sagte er zu dem Kellner, der gerade vorbeiging. Dann sprach
er weiter: ,,Daß die Deutschen ihre Hymne behalten haben,
ist auch typisch deutsch. Die Deutschen sind viel konse-
quenter als wir Österreicher. Sie sind wie der Martin Luther,
der gesagt hat: ,Hier stehe ich, ich kann nicht anders'. 25
Prinzipien, Prinzipien! In Österreich gibt's viele, die sagen:
Hier stehe ich — ich kann auch anders. Das hat schon in
der Gegenreformation begonnen. Sie wissen ja, zu Luthers
Zeit waren viele Österreicher Protestanten geworden. Aber
als der Kaiser zu ihnen sagte: ,Ihr müßt wieder katholisch 30
werden oder das Land verlassen — was haben die meisten
Österreicher getan? Sofort sind die meisten von ihnen wieder katholisch geworden. Wer wollte wegen eines Prinzips
die Heimat verlassen? Man kann's ja verstehen: Österreich
ist doch ein so schönes Land.' 35
Ja, so ist es, der Deutsche kämpft für seine Prinzipien,
der Österreicher liebt den Kompromiß. Und wie der
Deutsche seine Prinzipien liebt! Die sind ihm wichtiger als

die Strophe *verse*

die Einigkeit *unity*
der Wechsel *change*

das Hemd *shirt*

der Ober *head waiter*
der Schlag(obers) *whipped
cream*
der Kellner *waiter*
behalten *to retain*

die Gegenreformation
Counter-Reformation

alle Harmonie. Was hat Bismarck einmal gesagt? ‚Warum in aller Welt soll ich harmonisch sein?‘ Ja, der Bismarck war eben ein echter Deutscher. Wir Österreicher versuchen es, allen recht zu machen. Wir wollen, daß man uns gern hat.

5 Leider opfern wir dafür manchmal auch Prinzipien. So war's auch mit der Bundeshymne.

Wissen Sie, wie ich die Deutschen und die Österreicher vergleiche? Die Deutschen sind wie Rheinwein und Pumpernickel — gesund, aber nicht süß; wir Österreicher sind wie

10 Himbeersaft und Apfelstrudel — süß, aber sättigend.‘‘

Nachdem er von seinem Kaffee getrunken hatte, fuhr er fort: ,,Wissen Sie übrigens, daß man nach 1945 bei uns in Österreich in den Schulen kein Deutsch lehrte?‘‘

,,Kein Deutsch‘‘, sagte ich, ,,das ist doch nicht mög-

15 lich. Deutsch ist doch die Muttersprache der Österreicher.‘‘

,,Doch‘‘, meinte er lächelnd, ,,es gab nur mehr ‚Unterrichtssprache‘; ein paar Jahre später wurde daraus ‚deutsche Unterrichtssprache‘. Jetzt heißt das Fach Gott sei Dank wieder ‚Deutsch‘. Aber Sie sehen, Deutsch war nach 1945

20 nicht sehr populär in Österreich. Jedenfalls nicht bei unseren Politikern. Jetzt ist Deutsch wieder O.K., wie Sie drüben in Amerika sagen. Das ist österreichische Konsequenz.‘‘

Mein Wiener Gesprächspartner schaute auf seine Uhr. ,,Müssen Sie schon gehen?‘‘ fragte ich ihn.

25 ,,Nein, nicht gleich; eine halbe Stunde habe ich noch‘‘, antwortete er. ,,Ich gehe heute abend ins Theater.‘‘

,,Was spielt man heute?‘‘ fragte ich.

,,‚Der Verschwender‘, ein Stück von Raimund. Kennen Sie es? Es ist eigentlich ein Zaubermärchen, kein großes

30 klassisches Stück — aber sehr populär hier in Wien. Uns Österreichern gefällt diese Art von Literatur, das ist österreichische Literatur, österreichisches Theater.‘‘

,,Kann man eigentlich von ‚deutscher‘ und ‚österreichischer‘ Literatur sprechen?‘‘ fragte ich ihn. ,,Gibt es diesen

35 Unterschied wirklich?‘‘

,,Na, vielleicht muß man die Sache so sehen: Die Sprache haben unsere Dichter gemein. Aber die Literar-

---

Glossary (margin):

es allen recht machen *to please everybody*

süß *sweet*
der Himbeersaft *raspberry juice*
sättigend *filling*
fort-fahren *to continue*

die Unterrichtssprache *language of instruction*

das Fach *subject*

gleich *immediately*

der Verschwender *spendthrift*
das Stück *play*
das Zaubermärchen *fairy tale*

Ferdinand Raimund (1790–1836)

historiker sprechen von deutschen und österreichischen
Dichtern; es gibt ja sogar deutsche und österreichische Lite-
raturgeschichten, und sogar ein Österreichisches Wörterbuch.
Am wichtigsten scheint mir, daß der Geschmack für Literatur in Deutschland und Österreich doch ein wenig verschie- 5
den ist. Schauen Sie: es ist kein Zufall, daß gewisse Rich-
tungen der Literatur in Österreich mehr oder weniger
populär sind. Bleiben wir beim Raimund: Seine Zaubermärchen sind heute noch so populär wie vor 150 Jahren. Wenn
man sie spielt, ist das Theater voll. Warum? Ich glaube, der 10
Österreicher liebt die Flucht aus der Realität. Bei den Feen
und Prinzen, in der Welt des Märchens, fühlt er sich zu
Hause. Die Feen und Prinzen sind nicht so problematisch
wie der Faust".[1] Und wie ist's mit den Klassikern? Natürlich, wir lesen sie alle in der Schule und man spielt sie auch. 15
Aber wenn wir ehrlich sind: vielen Österreichern ist die
Klassik fremd geblieben. Das Heroische, das Philosophieren

das Wörterbuch *dictionary*
der Geschmack *taste*

die Richtung *school (of
thought)*

die Flucht *escape*
die Fee *fairy*

fremd *alien*

[1] „Faust", eine Tragödie von Johann Wolfgang Goethe

liegt uns Österreichern nicht. Wie heißt's im ‚Verschwender', im bekannten Lied vom Valentin[1]:

Da streiten sich die Leut' herum
Oft um den Wert des Glücks,
5   der eine heißt den andern dumm,
am End weiß keiner nix.[2]

das Publikum *audience*
die Enttäuschung
 disappointment
recht *really*

Diese Philosophie verstehen unsere Leute besser. Schauen
Sie, sogar unser Grillparzer, der größte klassische Dichter
Österreichs, hat mit seinem Publikum große Enttäuschungen
10 erlebt. Man hat ihn nie recht verstanden. Er war den Wienern
zu ‚klassisch'."
    „Und wie steht's mit der Romantik?" fragte ich weiter.
    „Ja, die steht dem Österreicher näher als die Klassik.
Die romantische Literatur zeigt ja auch oft die Welt des
15 Unrealen, die der Österreicher gern hat. Und als Kontrast:
der Naturalismus und der extreme Expressionismus wurden
in Österreich nie sehr populär. Da zeigt man zu viele un-

die Seite *aspect*
die rosarote Brille *rose-
 colored glasses*
durch die rosarote Brille
 sehen *to be overly
 optimistic*
verlegen *embarrassed*

schöne Seiten des Lebens. Wir Österreicher sehen das Leben
lieber durch die rosarote Brille." Bei seinen letzten Worten
20 lächelte mein Wiener Freund etwas verlegen.
    Der nette Wiener war mit seinem Diskurs über die
Deutschen und die Österreicher noch nicht zu Ende. „Alles
hat seine guten und schlechten Seiten", sprach er weiter.
„Aber ich glaube, wir Österreicher nehmen das Leben etwas

ganz *very*

25 leichter als die Deutschen. Erinnern Sie sich noch an die
ganz schlechte Zeit nach dem Krieg? Was hat man damals in
Deutschland gesagt: ‚Die Situation ist ernst, aber nicht
hoffnungslos'. Bei uns in Österreich hieß es dagegen: ‚Die
Situation ist hoffnungslos, aber nicht ernst'."
30   „Ja, die Deutschen nehmen leider alles sehr ernst; auch
sich selbst. Aber in Deutschland geht es schneller aufwärts
als bei uns in Österreich. Sie kennen doch das Motto der

schaffen *to work*

Deutschen: leben und schaffen; bei uns heißt es: leben und
leben lassen. Ihr Deutschen organisiert besser; wir Öster-

[1] Valentin = *main character in Raimund's play*
[2] nix = nichts

reicher können besser improvisieren. Wir ‚wurschteln' uns
durch, wie man bei uns sagt."

    Na, jetzt haben wir das Schwerste hinter uns. Jetzt
ist die Situation weder in Deutschland noch in Österreich
hoffnungslos. Im Gegenteil, jetzt geht es uns wieder gut. 5
Freilich, die Russen, die Franzosen, die Engländer und die
Amerikaner waren lang genug bei uns im Land. 1945 sagte
man, sie kamen, um uns zu befreien. Ich kann Ihnen nur
sagen: es war eine lange Befreiung. Zehn Jahre mußten wir
auf sie warten! So gut hat es unseren Befreiern in Österreich 10
gefallen, daß sie gar nicht nach Hause gehen wollten. Ich
glaube, Österreich kann eine zweite Besetzung überstehen,
aber eine zweite Befreiung . . .''

    Ich saß noch eine Weile mit dem Wiener beim Kaffee.
Wie heißt es: Wenn einer eine Reise macht, dann kann er 15
was erzählen. Man kann auch sagen: Wenn einer in Österreich ins Kaffeehaus geht, dann lernt er die Österreicher
kennen.

sich durch-wurschteln to
   get by through
   improvising

im Gegenteil on the
   contrary

befreien to liberate

überstehen to endure

ÜBUNGEN UND FRAGEN

A. Üben Sie die Aussprache der folgenden Wörter:

die Ruíne   das Elemént

die Traditión   die Hymne

die Reproduktión   die Melodíe

pompös   die Politík

die Arrogánz   die Polítiker

das Baumateriál   der Kompromíß

die Qualität   die Harmoníe

das Projékt   die Prinzípien

                        der Diskúrs

B. Fragen:
   1. Was ist eine „Vaterstadt"?
   2. Wie sah Nürnberg im Jahre 1946 aus?
   3. Warum hat man Nürnberg im alten Stil aufgebaut?

4. Woran denken die Deutschen, wenn sie etwas „typisch deutsch" nennen?
5. Wie bauten die 100 Familien in Buchenbühl ihre Häuser?
6. Wie baut man in Wien?
7. Wie dachte der ältere Wiener über die neue österreichische Bundeshymne?
8. Warum hat Österreich seit 1945 eine neue Bundeshymne?
9. Was wollen die Österreicher?
10. Was kann man in einem österreichischen Kaffeehaus lernen?

C. Ergänzen Sie die Adjektivendungen. Nach welchen Regeln wählen Sie die richtige Adjektivendung?
1. In mein _____ Vaterstadt.
2. Die Stadt mit typisch deutsch _____ Charakter.
3. Mein _____ Freund.
4. Das erst _____ Haus.
5. Ein solch _____ Haus.
6. Mit ein _____ älter _____ Wiener.
7. Ein klein _____ Land.
8. Den letzt _____ Satz.
9. Ein _____ neu _____ Hymne.
10. Ein echt _____ Deutscher.

D. Ergänzen Sie das gegenteilige (*opposite*) Adjektiv oder Adverb:
Beispiel: Es war so <u>dunkel</u> und so <u>still</u>.
          Es war so <u>hell</u> und so <u>laut</u>.

1. Es war eine <u>tote</u> Stadt.
2. Nürnberg war eine <u>reiche</u> Stadt.
3. Mein <u>alter</u> Freund Paul.
4. Sie hatten <u>alles</u> verloren.
5. Sie begannen mit einem <u>kleinen</u> Fond.
6. Ich konnte ein solches Haus von <u>innen</u> sehen.
7. Es gibt zu <u>wenig</u> Wohnungen.
8. Jetzt haben wir das Schwerste <u>hinter</u> uns.
9. Es hat ihnen <u>gut</u> gefallen.
10. Wir warteten <u>lange</u> darauf.

E. Verwenden Sie die folgenden Redewendungen in einem Satz. Setzen Sie dann jede dieser Redewendungen ins a) Imperfekt (*past*), b) Perfekt (*present perfect*).
1. Sie halten uns für . . .
2. das liegt uns mehr
3. das geht nicht
4. da kann man nichts machen
5. es gefällt ihm

F. Setzen Sie in den Komparativ und Superlativ:
1. In der Stadt war es dunkel.
2. Diese Häuser sind gut gebaut.
3. In Wien baut man langsam.
4. Man hat uns gern.
5. Wir trinken viel Kaffee.
6. Die Wiener haben die Oper schnell aufgebaut.

V

Humor aus Deutschland und Österreich

Aus Berlin:

Der dicke Raffke, ein neureicher Berliner, trifft einen alten
Schulfreund und will imponieren.

imponieren *to impress*

reiten *to ride*

„Du, ich bin heute drei Stunden geritten", sagte er stolz.
Darauf sein Freund:

das Pferd *horse*

5 „Was du nicht sagst. Und wie geht es dem Pferd?"

das Klavier *piano*

Frau Raffke spielt Klavier; ihre Gäste müssen zuhören.
„Das war Siegfrieds Tod",[1] erklärte sie nach ihrem Spiel.

kein Wunder *no wonder*

„Kein Wunder", sagte eine Stimme im Hintergrund.

das Zeugnis *report card*

In Fritzchens Zeugnis steht: „Fritz spricht zuviel."

10 Der Vater unterschreibt es und schreibt hinzu:
„Da sollten sie erst seine Mutter hören."

der Schaffner *conductor*

Im Autobus sagt der Schaffner zu einer jungen Frau mit
einem kleinen Jungen:
„Junge Frau, für den Jungen müssen Sie auch einen

der Fahrschein *ticket*

15 Fahrschein kaufen."
„Warum?" fragte die junge Frau. „Er ist noch nicht sechs
Jahre alt."
„Das glaube ich Ihnen nicht", antwortete der Schaffner.
Darauf die junge Frau:

bestimmt *surely*

20 „Bestimmt. Ich bin ja erst seit fünf Jahren verheiratet."

---

[1] „Siegfrieds Tod", ein Musikdrama von Richard Wagner.

„Liebe Frau", antwortete der Schaffner. „Ich will Fahrgeld
  von Ihnen, keine Geständnisse."

Im Jahre 1934 treffen sich zwei Gegner der Nazis in Berlin.
„Was gibt es Neues", fragt der eine.
„Eine gute und eine schlechte Nachricht", antwortet der 5
  andere.
„Sag' mir die gute zuerst, dann kann ich die schlechte
  besser ertragen."
„Hitler ist gestorben."
„Prima, und die schlechte?" 10
„Die erste stimmt nicht."

Gespräch zwischen einem Westberliner und einem Ostberliner an der Mauer:
Westberliner: „Bei uns haben wir jetzt eine richtige Demokratie. Wir können Zeitungen lesen, soviel wir wollen. 15
  Wir können auf unsere Regierung schimpfen, und
  niemand tut uns etwas."
Ostberliner: „Genau so ist es bei uns. Wir können auch
  viele kommunistische Zeitungen lesen. Und auf eure
  Regierung dürfen wir auch schimpfen, soviel wir wollen." 20

Aus Hamburg:

Die Hamburger lieben ihre Stadt, Sie verstehen gar nicht,
  daß man auch woanders wohnen kann. Es ist aber
  bekannt, daß der Vorort Altona nicht sehr schön ist.
  Das muß man wissen, um den folgenden Witz zu ver-
  stehen. 25
Der liebe Gott kam einmal auf die Erde, um Hamburg zu
  besuchen. Da sah er auf der Straße einen alten Mann,
  der sehr weinte.
„Warum weinst du?" fragte der liebe Gott.
„Das darf ich dir nicht sagen", antwortete der alte Mann. 30
„Sag' es mir nur, ich bin der liebe Gott; ich kann dir gewiß
  helfen", meinte der liebe Gott.
„Na, dann kann ich dir's ja sagen", erwiderte der alte Mann.
„Ich bin aus Altona."

das Fahrgeld	*fare*
das Geständnis	*confession*
der Gegner	*opponent*
ertragen	*to endure*
prima	*fine*
schimpfen (auf)	*to grumble about*
woanders	*somewhere else*
der Vorort	*suburb*
die Erde	*earth*
weinen	*to cry*

Da setzte sich der liebe Gott neben den alten Mann und weinte auch.

Aus dem Rheinland:

das Vergnügen *pleasure*

Hans trinkt mit Vergnügen seinen Wein. Da ruft man ihn an das Telefon. Er hat Angst, daß jemand seinen Wein
5 trinkt, während er am Telefon ist. Schnell schreibt er auf ein Papier, das er auf das Weinglas legt: „Ich habe

hinein-spucken *to spit into*

hineingespuckt."

Als Hans vom Telefon zurückkommt, stehen auf dem Papier noch zwei Worte: „Ich auch."

Aus Bayern:

die Straßenbahn *streetcar*
der Bauer *peasant*
das Geleise *track*

10 Vor der Straßenbahn fährt ein Bauer mit seinem Pferdewagen. Er fährt genau zwischen den Geleisen, so daß die Straßenbahn nicht weiterfahren kann. Der Straßen-

an-schreien *to shout at*

bahnführer wird ungeduldig und schreit den Bauern an: „Kannst du nicht aus dem Geleis' fahren."

um-schauen *to turn around*
ich schon *I can (but you can't)*

15 Da schaut sich der Bauer langsam um und sagt: „Ich schon, aber du nicht."

Aus Österreich:

das Gasthaus *inn*

Spruch in einem österreichischen Gasthaus: „Der Alkohol ist der größte Feind der Menschheit. Aber in der Bibel steht geschrieben, du sollst auch deine Feinde lieben."

20 Im Jahre 1938 verhaftet die Gestapo den senilen Wiener Aristokraten Graf Bobby. Man läßt ihn bald wieder frei, aber er muß für die Gestapo arbeiten.
Am nächsten Tag trifft er seinen Freund Rudi.
„Rudi, wie denkst du über Hitler", fragt er.
25 „Dumme Frage", antwortet Rudi, „Genau so wie du, Bobby."
„Dann muß ich dich verhaften lassen, lieber Rudi."

die Tapferkeit *bravery*

Ein österreichischer Offizier spricht mit seinen Soldaten über Tapferkeit. Er gibt folgendes Beispiel:
30 „Zwei Soldaten lieben dasselbe Mädchen. Der eine ist groß

und stark, aber feig. Der andere ist klein und schwach, feig *cowardly*
aber tapfer. Wer wird die Prügel bekommen?" die Prügel *beating*
Sofort antwortet ein Soldat:
„Das Mädchen, Herr Leutnant."

Ein Spruch des österreichischen Dichters Johann Nestroy: 5
„Die schönen Tage sind das Privileg der Reichen; aber die
schönen Nächte sind das Monopol der Glücklichen."

Eine Statistik zeigt, daß Ehemänner in Österreich länger der Ehemann *husband*
leben als ihre Frauen. Dafür hatte ein Österreicher fol-
gende Erklärung: 10
„Das stimmt nicht, es scheint ihnen nur länger."

Graf Bobby will während des Zweiten Weltkrieges Soldat
werden.
„Wo wollen Sie dienen?" fragt ihn ein Offizier. dienen *to serve*
„Bei der Luftwaffe? Bei der Infantrie? Bei der Marine?" 15 die Luftwaffe *air force*
  die Marine *navy*
„Am liebsten möchte ich in Hitlers Hauptquartier", ant- das Hauptquartier *head-*
worte Bobby. *quarter*
„Sind Sie verrückt?" meint der Offizier. verrückt *crazy*
„Warum? Ist das die Vorbedingung?" erwidert Bobby. die Vorbedingung *pre-*
  requisite

Der Kommunist Toni Stammler ist mit seinem Leben im 20
kapitalistischen Österreich sehr unzufrieden. Er
möchte in die Sowjetunion gehen, weil dort alles besser
sein soll. Sein Freund Josef Schranz hat denselben Plan.
Aber etwas Angst haben sie beide.
„Du", sagt Toni, „Ich habe eine Idee. Ich gehe zuerst hin- 25
über. Wenn alles gut und schön ist, schreibe ich dir einen
Brief mit blauer Tinte. Wenn es aber nicht stimmt, der Brief *letter*
  die Tinte *ink*
und wenn es eine Zensur gibt, dann schreibe ich mit
grüner Tinte."
Toni fuhr in die Sowjetunion. Nach einigen Monaten 30
bekommt Josef folgenden Brief:
„Hier ist alles wunderbar. Mir geht es sehr gut. Ich habe
eine schöne, große Wohnung, es gibt viel zu essen und zu
trinken. Und das Leben ist sehr billig. Hier kann man billig *inexpensive*

alles haben, was man sich wünscht. Nur grüne Tinte ist nicht zu haben. Viele Grüße,

Dein Toni."

A. Üben Sie die Aussprache der folgenden Wörter:

imponíeren	das Monopól
der Aristokrát	die Infantríe
seníl	die Maríne
der Offizíer	die Sowjétunion

B. Fragen:
1. Wer ist Herr Raffke?
2. Worauf ist Herr Raffke sehr stolz?
3. Was soll die junge Frau im Autobus tun?
4. Was dürfen die Ostberliner tun?
5. Was wissen wir über Altona?
6. Warum legt Hans ein Papier auf sein Weinglas?
7. Wer ist Graf Bobby?
8. Was sagt der Dichter Nestroy über die „schönen Tage" und die „schönen Nächte"?
9. Warum will der Kommunist Toni Stammler in die Sowjetunion gehen?
10. Was schreibt Toni aus der Sowjetunion?

C. Ergänzen Sie das Interrogativpronomen und beantworten Sie jede Frage:
1. _____ spielt Klavier? (*who*)
2. _____ schreibt der Vater hinzu? (*what*)
3. _____ muß sie einen Fahrschein kaufen? (*why*)
4. _____ wohnt der alte Mann? (*where*)
5. _____ schreit der Straßenbahnführer an? (*whom*)
6. _____ denkt Rudi über Hitler? (*how*)
7. _____ wollte Graf Bobby Soldat werden? (*when*)

D. Fritz spricht zuviel. *Fritz talks too much.*

Wie sagt man:

1. Fritz talks not enough.
2. Fritz talks a lot.
3. Fritz never talks.
4. Fritz talks too loudly.

E. Finden Sie ein passendes (*suitable*) Verb zu den folgenden Fragen und bilden Sie einen Satz.

Beispiel: Was macht man auf einem Pferd?
         Man reitet auf einem Pferd.

Was macht man 1) bei einem Klavierabend?
              2) im Autobus?
              3) wenn man unzufrieden ist?
              4) wenn man traurig ist?
              5) mit einem guten Wein?
              6) mit Tinte?

Wörterverzeichnis (Vocabulary)

The end vocabulary is intended to include all words used in this reader with the exception of personal and possessive pronouns. Discretion has been used in listing names of persons and places.

Masculine and neuter nouns are listed in the nominative and genitive singular and nominative plural; feminine nouns are given in the nominative singular and plural.

The three principal parts are given for strong and irregular verbs; weak verbs are listed in the infinitive only. A separable prefix is indicated by a hyphen.

In German, words are normally accented on the first syllable. Verbs with inseparable prefixes carry the accent on the root syllable; where this rule does not apply, the accent is indicated.

Abbreviations

adj.	adjective	*pl.*	plural
bzw.	beziehungsweise (respectively)	*p.p.*	past participle
etc.	and so on	*sing.*	singular
i.e.	id est (that is)	*usw.*	und so weiter
o.s.	oneself (selbst)	*z.B.*	zum Beispiel (for example)

A

der Abend, -s, -e evening
aber but, however
das Abkommen, -s, - agreement, pact
ab-lehnen to decline; to reject
ab-schließen, schloß ab, abgeschlossen to finish, conclude
die Absicht, -en intention
ab-stimmen to vote
ab-warten to wait and see
die Affäre, -n affair
ähnlich similar
die Aktión, -en action

aktiv active
akzeptíeren to accept
der Alkohol, -s, -e alcohol
der Alemánne, -n, -n Aleman
alle all
allein alone
alleinig sole
alles everything
die Alpen the Alps
als when, as, than
also thus, therefore
alt old
das Althochdeutsche Old High German
die Alternatíve, -n alternative

am = an dem
(das) Amerika, -s America
der Amerikáner, -s, - American
amerikánisch American
die Amnestíe, - amnesty
an at, on, to, by
der Anachronísmus, - . . . men anachronism
die Analogíe, -n analogy
ander- other
ändern to change
an-erkennen, erkannte an, anerkannt to recognize
der Anfang, -(e)s, ⸚e beginning
angeblich alleged(ly)
die Angst, ⸚e beginning
der Anhänger, -s, - supporter
anläßlich on the occasion
annektíeren to annex
an-schließen, schloß an, angeschlossen to join
der Anschluß, -sses, ⸚sse annexation
an-schreien, schrie an, angeschrien to shout at
anständig decent
die Antwort, -en answer
antworten to answer
der Apfelstrudel, -s, - apple strudel
die Ära era
die Arbeit, -en work
arbeiten to work
die Arbeitsstunde, -n working hour
der Architékt, -en, -en architect
arg bad
der Aristokrát, -en, -en aristocrat
arrogánt arrogant
die Arrogánz arrogance
die Art, -en kind, manner, way
(das) Äthiópien Ethiopia
auch also
auf on, upon
aufs = auf das
der Aufbau, -(e)s reconstruction
auf-bauen to rebuild
auf-geben (gibt auf), gab auf, aufgegeben to give up, sacrifice
auf-halten, (hält auf), hielt auf, aufgehalten to stop
aufeinander on top of each other
die Aufklärung Age of Enlightenment
die Aufnahme, -n admission
aufrecht-erhalten, (erhält aufrecht), erhielt aufrecht, aufrechterhalten to maintain
der Aufstand, -(e)s, ⸚e rebellion, revolt

der Aufstieg, -(e)s rise, ascent
aufwärts uphill; es geht aufwärts one makes progress
(das) Augsburg city in southern Germany
der Augúst, -s, -e August
aus from, out of
der Ausdruck, -(e)s, ⸚e expression
der Ausgleich, -(e)s arrangement; *treaty between the German Austrians and the Hungarians in the Habsburg Monarchy (1867)*
das Ausland, -(e)s foreign country
die Ausnahme, -n exception
aus-rufen, rief aus, ausgerufen to proclaim
aus-schalten to eliminate
die Aussprache pronunciation
der Ausspruch, -(e)s, ⸚e statement
die Außenpolitik foreign policy
außerdem moreover
der Austauschstudent, -en, -en exchange student
der Austrofaschist, -en, -en Austrian fascist
aus-wandern to emigrate
das Auto, -s, -s car
die Autobahn, -en superhighway
der Autobus, -ses, -se bus
der Autofahrer, -s, - (car) driver
die Autokratíe, -n autocracy
autokrátisch autocratic
autonóm autonomous
die Autonomíe autonomy
der Avare, -n, -n Avar

B

der Babenberger, -s, - *member of Austrian dynasty in the Middle Ages.*
der Bahnhof, -(e)s, ⸚e railroad station
bald soon
der Balkan, -s Balkan peninsula
die Bank, -en bank
der Bau, -(e)s, -ten building; construction
bauen to build
der Bauer, -n, -n farmer, peasant
das Bauernkind, -(e)s, -er farmer's child
das Baumaterial, -s, -ien building material
das Bauprojekt, -(e)s, -e building project
der Bayer, -s, -n Bavarian
(das) Bayern, -s Bavaria
beantworten to answer
bedecken to cover
bedenken, bedachte, bedacht to consider
bedeuten to mean

bedeutungslos meaningless
befreien to free, to relieve from
der Befreier, -s, - liberator
die Befreiung liberation
befriedigt satisfied
beginnen, begann, begonnen to begin
der Begriff, -(e)s, -e concept
begrüßen to greet
behalten, (behält), behielt, behalten to keep, retain
beherrschen to reign over; to master
die Behörde, -n (town) authority
bei at, near, with
beide both
das Beispiel, -(e)s, -e example; **z.B. =** zum Beispiel for example
bei-treten, (tritt bei), trat bei, ist beigetreten to join
bekannt (well) known
(sich) bekennen, bekannte, bekannt to acknowledge; to espouse
bekommen, bekam, bekommen to get, receive
belasten to burden
die Belastung, -en burden, strain
belegen to enroll
der Belgier, -s, - Belgian
beliebt popular
bemerken to notice; to mention
die Bemerkung, -en remark
(das) Berchtesgaden village in Southern Bavaria
bereit ready
der Berg, -(e)s, -e mountain
beruhigen to calm
berühmt famous
beschließen, beschloß, beschlossen to decide
besetzen to occupy
die Besetzung occupation
beseitigen to do away with; to remove
besiegen to defeat
der Besiegte, -n, -n defeated foe
besingen, besang, besungen to sing of; to praise
besitzen, besaß, besessen to possess; to own
besonder special
besonders especially
best- best
bestehen (aus), bestand, bestanden to consist (of)
bestimmen to determine
bestimmt certainly; surely
besuchen to visit

der Besucher, -s, - visitor
betonen to stress
betreiben, betrieb, betrieben to pursue
die Bevölkerung population
bevor before
bewahren to preserve
die Bewegung, -en movement
der Beweis, -es, -e proof
bezahlen to pay
die Beziehung, -en relation
beziehungsweise respectively
das Bier, -(e)s, -e beer
der Bierchauvinismus, - beer chauvinism
der Biertrinker, -s, - beer drinker
das Bild, -(e)s, -er picture
bilden to form
billig inexpensive, cheap
bis until
bisher up to now
Bismarck, Otto von *German statesman (1815–1898)*
bitten, bat, gebeten, to ask, request
bitter bitter
blau blue
bleiben, blieb, ist geblieben to remain, stay
der Blick, -(e)s, -e view
blond blond
die Blume, -n flower
das Blut, -(e)s blood
die Bodenschätze natural resources
(das) Böhmen, -s Bohemia
die Bombe, -n bomb
der Botschafter, -s, - ambassador
der Bourgeois, -, - a middle-class person
brauchen to need; to use
die Brauerei, -en brewery
braun brown
der Breitengrad, -(e)s, -e degree of latitude
der Brief, -(e)s, -e letter
die Brille, -n glasses
bringen, brachte, gebracht to bring
der Bruderkrieg, -(e)s, -e war between brothers
brüllen to roar
der Brunnen, -s, - fountain
brutal brutal, cruel
die Brutalität, -en brutality
(das) Buchenbühl village in southern Germany
das Büchlein, -s, - little book
der Bund, -(e)s, -̈e federation
die Bundeshymne, -n national anthem
der Bundeskanzler, -s, - federal chancellor

die **Bundesrepublik**   Federal Republic (of Germany)
der **Bundesstaat, -(e)s, -en**   (federal) state
das **Bündnis, -ses, -se**   alliance
der **Bürgerkrieg, -(e)s, -e**   civil war
bürgerlich   middle class

C

die **Chance, -n**   chance
der **Charákter, -s, . . . ére**   character
der **Charme, -s**   charm
der **Chauvinísmus, -**   chauvinism
der **Chef, -s, -s**   commander, chief
christlich   Christian
der **Christlichsoziále, -n, -n**   *member of the Christian Socialist party in Austria after World War I*
Clemenceau, Georges   *French statesman (1841–1929)*
der **Coup, -s, -s (coup d'état)**   coup d'état

D

da   then; here; since
dabei   with it
(das) Dachau, -s   *village in Southern Germany; concentration camp during the Hitler period*
dafür   for it
dagegen   against it; on the other hand
daher   therefore
dahin   until then
damals   at that time, then
die **Dame, -n**   lady
meine Damen und Herren   ladies and gentlemen
dankbar   thankful, grateful
dann   then
darauf   of it; to it
darin   in it
dar-stellen   to represent
darüber   about it
darum   therefore
daß   that
die **Daten**   data, facts
davon   of it
dazu   to it
decken   to cover
die **Demokratíe, -n**   democracy
demokrátisch   democratic
demütigen   to humiliate
den Haag   The Hague; *city in the Netherlands*
denken, dachte, gedacht   to think

denn   for
derselbe, dieselbe, dasselbe   the same
deutsch   German
der **Deutsche, -n, -n**   German
der **Deutsche Bund**   Confederation of German States (1815–1866)
die **Deutsche Demokratische Republik**   The German Democratic Republic
(das) Deutschland   Germany
deutschnationál   German national
der **Deutschnationále, -n, -n**   *member of the German National Party*
das **Deutsche Reich**   The German Empire
deutschsprechend   German-speaking
der **Dialékt, -(e)s, -e**   dialect
der **Dichter, -s, -**   poet, writer
dick   fat
dienen   to serve
dies   this
diesmal   this time
die **Differénz, -en**   difference of opinion
der **Diktátor, -s, . . . óren**   dictator
die **Diktatúr, -en**   dictatorship
der **Diplomát, -en, -en**   diplomat
direkt   direct
der **Diskúrs, -es, -e**   speech; conversation
die **Diskussión, -en**   discussion
diskutíeren   to discuss
doch   yet; however
(oh) doch   yes, indeed
Dollfuß, Engelbert   *Austrian Chancellor (1892–1934)*
die **Donau**   Danube
der **Donauwalzer, -s**   Danube waltz (*by Johann Strauß*)
die **Doppelmonarchie**   Dual Monarchy (*Austria–Hungary 1867–1918*)
das **Dorf, -(e)s, ˗̈er**   village
dort   there
drei   three
die **Drei-Mächte-Deklaration**   three-power declaration
dreißig   thirty
die **dreißiger Jahre**   the Thirties
der **Dreißigjährige Krieg**   The Thirty Years' War
drüben   over there
dumm   stupid
dunkel   dark
dunkelhaarig   dark haired
durch   through; by
die **Durchschnittstemperatúr, -en**   average temperature

(sich) durch-wurschteln to improvise; to get by (*Austrian dialect*)
Dürer, Albrecht *German artist (1471–1528)*
dürfen (darf), durfte, gedurft to be permitted, may
der Durst, -(e)s thirst
die Dynastíe, -n dynasty

E

ebenso just as
echt genuine, true
edel nobel
ehe before
die Ehe, -n marriage
der Ehemann, -(e)s, ̈er husband
ehrgeizig ambitious
ehrlich honest
die Ehrlichkeit honesty
eigen own
eigentlich true, real; actually
ein a, an, one
einander each other
der Eindruck, -(e)s, ̈e impression
einfach simple
die Einheit unity
einige some, a few
die Einigkeit harmony; unity
das Einkommen, -s, - income
ein-laden (lädt ein), lud ein, eingeladen to invite
einmal once
der Einmarsch, -(e)s, ̈e entry, marching in
ein-marschieren to march into
einst at one time, in days past
der Eintritt, -(e)s entry, beginning; admittance
ein-werfen (wirft ein), warf ein, eingeworfen to interject
der Einwohner, -s, - inhabitant
die Einzelheit, -en detail
einzeln single; individual
ein-ziehen, zog ein, ist eingezogen to move in
das Eisen, -s, - iron
die Elbe *river in Germany*
die Elektrizität electricity
das Elemént, -(e)s, -e element; part
das Ende, -s, -n end
endlich finally, at last
die Energiequelle, -n source of energy
(das) England England
der Engländer, -s, - Englishman

enthaupten to behead
enthusiastisch enthusiastic
(sich) entscheiden, entschied, entschieden to decide
sich entschließen, entschloß sich, hat sich entschlossen to decide; **entschlossen sein** to be determined
die Entschuldigung, -en excuse
entspringen, entsprang, ist entsprungen to originate
die Enttäuschung, -en disappointment
entweder . . . oder either . . . or
entwickeln to develop
die Entwicklung, -en development
die Episóde, -n episode
die Erde earth
das Ereignis, -ses, -e event
erfahren (erfährt), erfuhr, erfahren to learn; to hear
erfinden, erfand, erfunden to invent
der Erfolg, -(e)s, -e success
ergänzen to complete; to supply; to add
erhalten (erhält), erhielt, erhalten to preserve; to maintain; to receive
die Erholung rest; recreation
(sich) erinnern to remember; to remind
erklären to explain, declare
die Erklärung, -en explanation
sich erkundigen to inquire
erlauben to permit, allow
erleben to experience
erleichtern to facilitate; to make easy
ermorden to murder
erneuern to renew
ernst serious
die Eröffnung, -en opening
der Ersatz, -es substitute; reserve
erscheinen, erschien, ist erschienen to appear
erspart saved
erstaunt surprised
erst only; ever
erstehen, erstand, ist erstanden to rise
erstmals for the first time
ertragen (erträgt), ertrug, ertragen to endure
erwidern to reply
das Erz, -es, -e ore
erzählen to tell
essen (ißt), aß, gegessen to eat
etwa about, nearly
etwas something; a little
(das) Európa Europe

der Europäer, -s, - European
die Existénz, -en existence; livelihood
existieren to exist
exportieren to export
der Expressionísmus, - expressionism
extrém extreme

F

der Fabrikánt, -en, -en factory owner
das Fach, -(e)s, ⁝er subject
fahren (fährt), fuhr, ist gefahren to drive;
to go, travel
das Fahrgeld, -(e)s fare
der Fahrschein, -(e)s, -e ticket
das Fait accompli, -s, -s a thing accomplished
der Fall, -(e)s, ⁝e case
falsch false, wrong
die Famílie, -n family
farbenblind color-blind
fast almost
das Fastnachtspiel, -(e)s, -e Shrovetide
play
die Fee, -n fairy
fehlen to be missing; to be lacking
fehlerfrei faultless, without mistakes
feig(e) cowardly
fein fine; beautiful
der Feind, -(e)s, -e enemy
feindlich hostile
das Feld, -(e)s, -er field
der Feldherr, -n, -en commander in chief
die Ferien vacation
die Ferne, -n distance
fest firm; strong
das Festspiel, -(e)s, -e festival
feucht moist
der Film, -(e)s, -e movie
finden, fand, gefunden to find
flach flat
die Fläche, -n area; dimension
der Fleiß, -es diligence
fleißig diligent
flicken to mend
fließen, floß, ist geflossen to flow
die Flucht, -en flight, escape
flüchten to flee, escape
der Flüchtling, -(e)s, -e refugee
fluchtsicher secure from flight
der Fluß, Flusses, Flüsse river
die Folge, -n consequence
folgend following

der Fond, -(e)s, -s fund
fordern to demand
die Form, -en form
formen to form; to shape
die Forschung, -en research
fort away; gone
fort-fahren (fährt fort), fuhr fort, ist
fortgefahren to continue
fort-setzen to go on; continue
(Frau) Fortúna Lady Luck
die Frage, -n question
der Franke, -n, -n Frank
die Frankfurter Nationálversammlung
Frankfurt Assembly (1848)
(das) Frankreich France
der Franzóse, -n, -n Frenchman
französisch French
die Frau, -en woman
das Fräulein, -s, - Miss
frei free
die Freiheit, -en liberty, freedom
freilich to be sure, of course
freiwillig voluntary
die Freizeit leisure time
fremd foreign, alien
der Fremdenverkehr, -s tourist traffic, business
sich freuen to be glad
der Freund, -(e)s, -e friend
freundlich friendly
die Freundschaft, -en friendship
Friedrich der Große Frederick the Great
(of Prussia)
der Friede, -ns, -n peace
friedlich peaceful
der Friese, -n, -n Frieslander
froh glad, gay
früher earlier; formerly
fühlen to feel
führen to lead
der Führer, -s, - leader
für for; in return for
die Furcht fear
fürchten to fear; to be afraid
der Fürst, -en, -en prince, sovereign
der Fußball, -s soccer
der Fußballfanátiker, -s, - fanatic soccer
fan

G

ganz quite, whole, all; nicht ganz not
quite

gar even; **gar nicht** not at all; **gar nichts** nothing at all

garantíeren to guarantee

der Gast, -(e)s, ⸚e guest

die Gastfreundschaft hospitality

geben (gibt), gab, gegeben to give; **es gibt** there is, there are

das Gebiet, -(e)s, -e region; area

das Gebirge, -s, - mountain range

geboren born

das Gedicht, -(e)s, -e poem

die Gefahr, -en danger

gefährlich dangerous

das Gefängnis, -ses, -se jail

das Gefühl, -(e)s, -e feeling

gegen against; toward

gegeneinander against each other

die Gegenreformatíon Counter-Reformation

das Gegenteil, -(e)s opposite; **im Gegenteil** on the contrary

gegenüber opposite

der Gegner, -s, - opponent

gehen, ging, ist gegangen to go

gehören to belong

die Geige, -n violin

das Geld, -(e)s, -er money

die Gelegenheit, -en opportunity

der Gelehrte, -n, -n scholar

das Geleise, -s, - track

geliebt beloved, loved

gelingen, gelang, ist gelungen to succeed

gelten (gilt), galt, gegolten to be valid; to be in force; to be worth

gemein common; mean

gemeinsam common

die Gemeinschaft, -en community

gemütlich comfortable; cozy

die Gemütlichkeit coziness

genau exact

der Generál, -s, ⸚e general

die Generatión, -en generation

genug enough

die Geographíe geography

geográphisch geographical

gerade just

gern(e) gladly, willingly; **gern haben** to like

der Gerichtshof, -(e)s, ⸚e court of law

das Geschäft, -(e)s, -e business; shop

geschehen (geschieht), geschah, ist geschehen to happen

die Geschichte, -n history; story

der Geschichtslehrer, -s, - history teacher

die Geschichtsvorlesung, -en lecture in history

das Geschlecht, -(e)s, -er dynasty; sex

der Geschmack, -(e)s, ⸚er taste

das Gesetz, -es, -e law

das Gespräch, -(e)s, -e talk, conversation

der Gesprächspartner, - s, - conversation partner

das Geständnis, -ses, -se confession

die Gestapo = Geheime Staatspolizei secret police

gestern yesterday

gesund healthy

geteilt divided

das Getränk, -(e)s, -e beverage

die Gewalt, -en force

gewinnen, gewann, gewonnen to win; to gain

gewiß certain(ly)

sich gewöhnen to get accustomed (to)

der Gipfel, -s, - peak

der Glaube, -ns belief, faith

glauben to believe

gleich immediately; similar, like

die Gleichberechtigung equality of rights

das Glück, -(e)s good fortune; happiness

der Glückliche, -n, -n the fortunate one

golden golden

Göring, Hermann *Prime Minister of Prussia and Field Marshal in Nazi Germany* (*1893–1946*)

der Gott, -es, ⸚er God; **Gott sei Dank** thank God

der Grad, -(e)s, -e degree

der Graf, -en, -en count

die Grenze, -n border

grenzen to border

der Grenzer, -s, - border guard

die Grenzmark, -en border province

Grillparzer, Franz *Austrian poet and playwright* (*1791–1872*)

groß great; large

großartig impressive, grand

(das) Großbritannien Great Britain

der Großdeutsche, -n, -n *member of the party for a greater Germany*

(das) Großdeutschland Greater Germany; **die großdeutsche Lösung** solution for a Greater Germany

die Großmacht, ⸚e major power

der Großvater, -s, ⸚ grandfather

grün green

der Grund, -(e)s, ∺e   reason; auf den Grund
  gehen   to go to the root of a thing
gründen   to found; to establish
gründlich   solid, thorough
die Gruppe, -n   group
gut   good

H

haben (hat), hatte, gehabt   to have; to
  possess
der Habsburger, -s, -   *member of the
  Habsburg dynasty*
die Hafenstadt, ∺e   port
halb   half
halten (hält), hielt, gehalten   to hold; to
  think; to keep; halten für   to consider
die Hand, ∺e   hand; von der Hand in den
  Mund leben   to live from hand to mouth
handeln   to act; es handelt sich um   it deals
  with, it is a question of
das Handikap, -s, -s   handicap
hängen, hing, gehangen   to hang
die Harmonie   harmony
harmónisch   harmonious
das Hauptfach, ∺er   major subject
der Hauptgrund, -(e)s, ∺e   main reason
das Hauptquartier, -(e)s, -e   headquarters
die Hauptstadt, ∺e   capital
das Haus, -(e)s, ∺er   house; zu Hause   at
  home
die Hausmacht   private possession of a
  sovereign
die Haut, ∺e   hide, skin; aus der Haut
  fahren   to be angry
Haydn, Joseph   *Austrian composer (1732–
  1809)*
die Haydnhymne   *German and former Austrian national anthem*
heilig   holy; das Heilige Römische Reich
  Deutscher Nation   Holy Roman Empire
  of the German Nation
das Heim, -(e)s, -e   home
die Heimat   homeland, native country
das Heimweh, -s   homesickness
heiraten   to marry
die Heiratspolitik   politics in marriage
heiß   hot
heißen, hieß, geheißen   to mean; to be
  called
der Held, -en, -en   hero
helfen (hilft), half, geholfen   to help
das Hemd, -(e)s, -en   shirt

herab-sinken, sank herab, ist herabgesunken
  to become degraded
das Herbstsemester, -s, -   fall semester
heróisch   heroic
der Herr, -n, -en   gentleman; Mr.; master
herrschen   to rule; to exist
der Herrscher, -s, -   ruler
her-stellen   to manufacture, produce
herum   all about; around
heute   today; heutig-   present
hier   here
die Hilfe, -n   help
der Hilfsarbeiter, -s, -   unskilled worker
der Himbeersaft, -(e)s   raspberry juice
hinein-spucken   to spit into
hingegen   on the other hand; however
der Hintergrund, -(e)s   background
hinüber   over there, to the other side
hinzu-setzen   to add
der Histórikr, -s, -   historian
histórisch   historic
hoch   high, up
das Hochdeutsch, -en   High German
höchstens   at the most
hoffen   to hope
hoffnungslos   hopeless
Hohenzollern (das Haus)   House of Hohenzollern (*ruling dynasty of Prussia 1415–
  1918*)
hören   to hear
der Hörsaal, -(e)s, ∺e   lecture hall
die Hose, -n   trousers, pants
hübsch   pretty
der Humór, -(e)s   humor
der Hunger, -s   hunger
die Hymne, -n   anthem
die Hypothék, -en   mortgage

I

die Idée, -n   idea
die Ideologie, -n   ideology
ignoríeren   to ignore
die Illusión, -en   illusion
im = in dem
immer   always
imponíeren   to impress
in   in; ins = in das
die Industrie, -n   industry
industriéll   industrial
das Industríezentrum, -s, . . . tren   industrial
  center
die Infantríe   infantry

die **Inflatión** inflation
inmitten in the middle; in the midst
die **Innenstadt** inner city
innerdeutsch internal affair of Germany
innerhalb inside; within
die **Institutión, -en** institution
interessánt interesting
das **Interésse, -n** interest
sich **interessíeren** to interest
internationál international
die **Interpretatión, -en** interpretation
das **Interview, -s, -s** interview
der **Investitúrstreit** the controversy of investiture (*11th–12th century*)
der **Ire, -n, -n** Irishman
irgend any; **irgendein** any, some; **irgendwie** somehow
die **Ironíe** irony
isolíeren to isolate
die **Isolíerung** isolation
(das) **Itálien** Italy

J

ja yes, indeed
die **Jagdausstellung, -en** hunting exhibition
der **Jäger, -s, -** hunter
das **Jahr, -(e)s, -e** year
das **Jahrhundert, -s, -e** century
das **Jahrzehnt, -s, -e** decade
der **Januar, -(s), -e** January
je ever
jedenfalls at any rate
jeder every; each
jemand somebody, someone
jodeln to yodel; **das Jodeln, -s** yodeling
der **Jodler, -s, -** yodeler
der **Jubel, -s** rejoicing
jubeln to rejoice
die **Jugendherberge, -n** youth hostel
(das) **Jugosláwien** Yugoslavia
der **Juli, -(s), -** July
das **Juliabkommen, -s** July agreement (*between Germany and Austria in 1936*)
jung young
der **Junge, -n, -n** boy

K

der **Kaffee, -s** coffee
das **Kaffeéhaus, -es, ∵er** coffeehouse
der **Kaiser, -s, -** emperor
die **Kaiserin, -nen** empress
die **Kaiserkrone** imperial crown
das **Kaiserquartett, -(e)s** "Emperor Quartet" (*by Joseph Haydn*)
das **Kaisertum, -s** empire
kalt cold
der **Kampf, -(e)s, ∵e** fight, struggle
kämpfen to fight
(das) **Kanada** Canada
der **Kanzler, -s, -** chancellor; prime minister
kapitalístisch capitalistic
Karl der Große Charles the Great (Charlemagne); *German emperor* (*768–814*)
die **Karte, -n** map; card
die **Katastróphe, -n** catastrophe
der **Katholík, -en, -en** Catholic
kathólisch Catholic
kaufen to buy
kaum hardly
kein not a
kennen, kannte, gekannt to know
kennen-lernen to meet, to become acquainted
der **Kilométer, -s, -** kilometer (*3280.8 feet*)
km = Kilometer
das **Kind, -(e)s, -er** child
kinderlos childless
die **Kirche, -n** church
klar clear
klar-werden (wird klar), wurde klar, ist klargeworden to become clear
die **Klassik** classic; classical period
der **Klassiker, -s, -** classical writer, poet
das **Klavíer, -(e)s, -e** piano
klein small, little
die **kleindeutsche Lösung** solution for a smaller Germany (*without non-German states*)
der **Kleinstaat, -(e)s, -en** small country, nation
der **Klerikále, -n, -n** clerical partisan
der **Klerus, -** clergy
das **Klima, -s, -s** climate
klimátisch climatic
klingen, klang, geklungen to sound
das **Klischée, -s, -s** cliché
das **Kloster, -s, ∵** monastery
klug clever; wise
der **Knopf, -(e)s, ∵e** button
der **Koffer, -s, -** suitcase
die **Kohle, -n** coal
der **Kollége, -n, -n** colleague
die **Koloníe, -n** colony

kommen, kam, ist gekommen to come; zu kurz kommen to come off badly
der Kommentár, -(e)s, -e comment
der Kommuníst, -en, -en Communist
kommunístisch communist
komplizíert complicated; intricate
der Kompromíß, -sses, -sse compromise
die Konferénz, -en conference
die Konfessión, -en creed
konfessionéll denominational
der Konflíkt, -(e)s, -e conflict
der König, -(e)s, -e king
die Konkurrénz, -en competition
können (kann), konnte, gekonnt can, to be able to
konsequént consistent
die Konsequénz, -en consequence
konservatív conservative
der Konservatíve, -n, -n conservative person; member of the Conservative party
der Kontrást, -es, -e contrast
das Konzentratiónslager, -s, - concentration camp
(sich) konzentríeren to concentrate
das Konzépt, -(e)s, -e concept
der Kopf, -(e)s, ⁓e head
der Körper, -s, - body
der Korse, -n, -n Corsican
der Kosmopolitísmus, - cosmopolitism
die Kraft, ⁓e force; strength
der Krieg, -(e)s, -e war
die Krise, -n crisis
krönen to crown
kühl cool
die Kultúr, -en culture
kulturéll cultural
das Kultúrleben, -s cultural life
kultúrreich rich in culture
kümmern: sich um etwas kümmern to care for something, to concern o.s. (with)
die Kunst, ⁓e art
der Künstler, -s, - artist
der Kurs, -es, -e course
kurz short
kürzlich not long ago, recently
kurzum in short

L

lächeln to smile
lachen to laugh
die Lage, -n situation
das Land, -(e)s, ⁓er country; land

die Landkarte, -n map
die Landschaft, -en landscape, surroundings
landschaftlich scenic; relating to landscape
lang(e) long
langsam slow
lateínisch Latin
laufen (läuft), lief, ist gelaufen to run
laut loud
läuten to ring
leben to live
lebendig lively; alive
der Lebensraum, -(e)s living space
die Lederhose, -n leather shorts
legen to lay, put
leicht easy; light
leiden, litt, gelitten to suffer; es tut ihnen leid they are sorry
leider unfortunately
leise in a low voice
leisten to accomplish
leiten to lead, direct
lernen to learn
lesen (liest), las, gelesen to read
letzt last; final
die Leute people
der Leutnant, -s, -s second lieutenant
liberál liberal
lieben to love
lieber rather, preferably; lieber sein to prefer
das Lied, -(e)s, -er song
liegen, lag, gelegen to lie; es liegt uns it appeals more to us, it's in our line
die Linke, -n party to the left
links left
der Literárhistóriker, -s, - scholar of literature
die Literatúr, -en literature
die Literatúrgeschichte, -n history of literature
loben to praise
logisch logical
das Los, -es, -e lottery ticket
lose loose
die Luftwaffe (German) Air Force

M

machen to make; to do
die Macht, ⁓e power
mächtig powerful
das Mädchen, -s, - girl

das Mal, -(e)s, -e time; mal = einmal
man one
manch- many a; manche some
manchmal sometimes
der Mann, -(e)s, ⸚er man
Maria Theresia Maria Theresa (empress of the Habsburg Empire 1740–1780)
die Maríne, -n navy
die Mark, - mark (German currency)
die Mark, -en frontier province
marschíeren to march
der Marxíst, -en, -en Marxist
der März, -(e)s, -e March
die Mauer, -n wall
der Maurer, -s, - bricklayer
das Meer, -(e)s, -e sea; ocean
mehr more, any more
mehrere several
die Mehrzahl majority
meinen to mean; to say
die Meinung, -en opinion
meist most; meistens mostly; generally
der Meister, -s, - master
melden to report
die Melodíe, -n melody
der Mensch, -en, -en man, human being
die Menschheit mankind
merken to notice
militärisch military
der Militarísmus, - militarism
die Millión, -en million
das Minenfeld, -(e)s, -er mine field
der Minísterpräsidént, -en, -en prime minister
die Mischmaschine, -n concrete mixer
mißlingen, mißlang, ist mißlungen to fail
mißtrauen to distrust
mit with
mit-arbeiten to collaborate; to contribute
miteinander together
die Mitte, -n middle, center
mittel medium
das Mittel, -s, - means; device
das Mittelalter, -s Middle Ages
(das) Mitteldeutschland Central Germany
das Mittelgebirge, -s, -e secondary chain of mountains (mountain region in central Germany)
mitten in in the middle of
mobilisíeren to mobilize
modérn modern
mögen (mag), mochte, gemocht to like, may; möchte would like

möglich possible; möglichst viel as much as possible
der Monárch, -en, -en monarch
die Monarchíe, -n monarchy
der Monat, -(e)s, -e month
monatlich monthly
der Mond, -(e)s, -e moon
das Monopól, -s, -e monopoly
morálisch moral
morgen tomorrow
(das) Moskau Moscow
das Motto, -s, -s motto
das Mozartéum music academy in Salzburg, Austria
der Müller, -s, - miller
(das) München Munich
die Musík music
die Musíkakademíe, -n music academy
musikálisch musical
die Musíkbox, -en juke box
müssen (muß), mußte, gemußt must, to have to
die Mutter, ⸚ mother
die Muttersprache mother tongue

N

na well! now! then!
nach after; toward, to
der Nachbar, -s (or -n), -n neighbor
nachdem after
nach-denken, dachte nach, nachgedacht to reflect, ponder
der Nachfolger, -s, - successor
der Nachmittag, -(e)s, -e afternoon
die Nachricht, -en news
nächst next
die Nacht, ⸚e night
nahe near, close
die Nähe vicinity
der Name, -ns, -n name
nämlich namely, to be sure
der Narr, -en, -en fool
die Natión, -en nation
national national
das Nationalitätenproblém, -s, -e problem of different nationalities
der Nationalitätenstaat, -en nation composed of several nationalities
der Nationálsozialísmus, - National Socialism
der Nationálsozialíst, -en, -en National Socialist

die Nationálsozialístische Partei National Socialist Party
die Nationálversammlung national assembly
der Naturalísmus, - naturalism
natürlich naturally, of course
der Nazi, -s, -s Nazi (*member of Hitler's National Socialist German Worker's Party*)
der Naziführer, -s, - Nazi leader
neben beside(s), next to
nebeneinander next to each other
das Nebenfach, -(e)s, ̈er minor academic subject
nehmen (nimmt), nahm, genommen to take
die Neiße river (*tributary of Oder river*)
nennen, nannte, genannt to call; to name
der Neonazi, -s, -s Neo-Nazi
neu new
die Neuigkeit, -en news
neureich newly rich, parvenu
neutrál neutral
die Neutralitä́t neutrality
nicht not; **nicht mehr** no longer
nichtdeutsch non-German
nichts nothing
die Niederlage, -n defeat
nieder-schlagen (schlägt nieder), schlug nieder, niedergeschlagen to suppress
niemals never
niemand no one, nobody
noch still; **noch ein** another; **noch etwas** more; **noch immer** still; **noch nicht** not yet
der Norden, -s north
nördlich northern
die Nordsee North Sea
die Not, ̈e need; misery
der Novémber, -s, - November
null zero
die Nummer, -n number
nun now
nur only; **nur mehr** only just
(das) Nürnberg *city in southern Germany*
nützen to help; to be useful; **nichts nützen** to be of no avail

O

ob if; whether
der Ober, -s, - head waiter
oberst highest
obgleich although

objektív objective
oder or
die Oder *river in Germany*
offen open
offiziéll official
der Offizíer, -s, -e officer
oft often
ohne without
das Öl, -(e)s, -e oil
der Ölbedarf, -(e)s oil requirement
das Ölfeld, -(e)s, -er oil field
das Omen, -s, - omen
der Onkel, -s, - uncle
die Oper, -n opera (house)
opfern to sacrifice
optisch optical
die Ordnung order
orientíeren to orientate
(das) Ostarrichi *old Germanic name for Austria*
der Ostdeutsche, -n, -n East German
(das) Ostdeutschland East Germany
der Osten, -s east
(das) Österreich Austria
der Österreicher, -s, - Austrian
österreichisch Austrian
die Österreichisch-Ungarische Monarchie Austrian–Hungarian Monarchy
östlich eastern, easterly
(das) Ostpreußen East Prussia
die Ostsee Baltic Sea
die Ostzone Eastern Zone = East Germany

P

paar few, some
(das) Pankow *city in East Germany; seat of the DDR (= German Democratic Republic)*
das Papiér, -(e)s, -e paper
der Papst, -es, ̈e pope
das Papsttum, -s papacy
das Parlamént, -(e)s, -e parliament
die Paróle, -n battle cry, slogan
die Parteí, -en party
der Partéitag, -(e)s, -e party rally
der Partner, -s, - partner
die Partnerschaft partnership
passen to fit
der Patriót, -en, -en patriot
patriótisch patriotic
die Pause, -n pause

die Persón, -en person
persónlich personal
die Perspektíve, -n perspective
das Pferd, -(e)s, -e horse
der Pferdewagen, -s, - horse-drawn carriage
pflegen to take care of
die Philosophié, -n philosophy
philosophiéren to philosophize
philosóphisch philosophical
das Plakát, -(e)s, -e poster
der Plan, es, ⸚e plan
planen to plan
der Pole, -n, -n Pole
(das) Polen Poland
die Politík politics
der Polítiker, -s, - politician
polítisch political
der Polizéistaat, -(e)s, -en police state
pompös pompous
populär popular
praktisch practical
der Preis, -es, -e price
die Presse, -n press
das Prestíge, -s prestige
der Preuße, -n, -n Prussian
(das) Preußen Prussia
preußisch Prussian
der Prinz, -en, -en prince
die Prinzéssin, -nen princess
das Prinzíp, -s, -ien principle
die Privátarmée, -n private army
das Privilég, -(e)s, -ien privilege
pro per
das Problém, -(e)s, -e problem
problematisch problematic
prodeutsch pro-German
produzíeren to produce
der Proféssor, -s, -óren professor
das Prográmm, -(e)s, -e program
die Propagánda propaganda
der Propagándaminíster, -s, - minister of propaganda
der Protestánt, -en, -en Protestant
protestántisch Protestant
protestíeren to protest
die Provínz, -en province
der Provínzler, -s, - provincial person
die Prügel beating
das Publikum, -s audience
der Pumpernickel, -s, - pumpernickel
der Punkt, -(e)s, -e point
der Putsch, -es, -e uprising, insurrection

Q

der Quadrátkilometer, -s, - square kilometer
qkm = Quadrátkilometer
die Qualität, -en quality

R

das Rad, -(e)s, ⸚er bicycle; wheel
radikál radical
der Rang, -(e)s, ⸚e rank
die Rate, -n installment payment
der Raum, -(e)s, ⸚e room, space
die Realität, -en reality
der Reálpolitiker, -s, - politician applying "Realpolitik"
die Rechnung, -en bill; die Rechnung ohne den Wirt machen to work in the dark
das Recht, -(e)s, -e right; law
recht right; recht haben to be right; recht sein to be agreeable
die Rechte, -n rightist party
die Rede, -n speech
reden to talk, say
die Reformatión reformation
der Refórmer, -s, - reformer
die Regel, -n rule
der Regen, -s, - rain
regiéren to govern; to rule
die Regíerung, -en government
der Regiérungspartner, -s, - partner in government
das Regíme, -s, -s regime
reich rich
die Reihe, -n row
das Reich, -(e)s, -e empire
das Reichsgesetz, -es, -e federal law
die Reichsgründung creation of the empire
die Reichsregierung, -en federal government
die Reise, -n journey, trip
reisen to travel
reiten, ritt, ist geritten to ride
die Religión, -en religion
der Religiónsfrieden, -s, - peace between religious sects
der Religiónskrieg, -(e)s, -e religious war
die Reparatión, -en reparation
der Repräsentánt, -en, -en representative
die Reproduktión, -en reproduction
die Republík, -en republic
die Resérve, -n reserve
der Respékt, -(e)s respect, esteem

resignieren to be resigned
das Restaurant, -s, -s restaurant
retten to save
die Reviérgrenze, -n hunting ground
die Revolutión, -en revolution
der Rhein Rhine
das Rheinland Rhineland
der Rheinwein, -(e)s, -e Rhine wine
richtig right, correct
die Richtung, -en direction; school (of thought)
der Ritter, -s, - knight; **Ritter, Tod und Teufel** "Knight, Death and Devil," *famous wood engraving by Albrecht Dürer*
der Rivále, -n, -n rival
die Rivalität, -en rivalry
der Rock, -(e)s, ⸚e skirt
die Rolle, -n role
der Román, -s, -e novel
die Romántik the Romantic Period
romántisch romantic
römisch Roman
rosarot rose-colored; **durch die rosarote Brille sehen** to be overly optimistic
der Rote, -n, -n red; member of a leftist party
rufen, rief, gerufen to call
die Ruhe quiet; rest; peace
ruhig quiet, calm
das Ruhrgebiet Ruhr region; *industrial region of West Germany*
die Ruíne, -n ruins
(das) Rußland Russia
der Russe, -n, -n Russian

S

die Sache, -n matter; thing
sachlich objective; to the point
Sachs, Hans *German poet (1494–1576)*
der Sachse, -n, -n Saxon
sagen to say; to tell
der Samstag, -(e)s, -e Saturday
sarkástisch sarcastic
der Satellít, -en, -en satellite
sättigend filling
der Satz, -es, ⸚e sentence
sauber clean; decent
der Sauerbraten, -s, - roast pickled beef
das Sauerkraut, -(e)s sauerkraut
schade too bad; it's a pity
schaffen, schuf, geschaffen to create, do; to work
der Schaffner, -s, - conductor

der Schatz, -es, ⸚e treasure
schauen to look; to watch
scheinen, schien, geschienen to seem; to shine
der Schi, -s, -er ski
schicken to send
das Schicksal, -s, -e fate
schießen, schoß, geschossen to shoot
das Schigebiet, -(e)s, -e ski area
das Schilaufen, -s skiing
der Schiläufer, -s, - skier
schimpfen to scold; to insult; to grumble about
das Schirennen, -s, - ski race
die Schlacht, -en battle
der Schlag, -(e)s whipped cream
schlagen (schlägt), schlug, geschlagen to hit; to strike
die Schlamperei, -en sloppiness
schlecht bad; poor
schließlich finally; after all
schlimm bad; serious
das Schloß, -sses, ⸚sser castle
schmecken to taste
der Schnee, -s snow
schneien to snow
schnell quick, fast
schon already
schön beautiful
die Schönheit, -en beauty
schreiben, schrieb, geschrieben to write
der Schulbus, -ses, -se school bus
schuldig sein to be guilty
die Schule, -n school
der Schüler, -s, - pupil, student
der Schuß, -sses, ⸚sse shot
Schuschnigg, Kurt von *Austrian Chancellor between 1934–1938*
der Schutzbund, -(e)s "union of protection," *private army of the Socialists in the First Republic of Austria*
schützen to protect
schwächen to weaken
schweigen, schwieg, geschwiegen to be silent
die Schweiz Switzerland
der Schweizer, -s, - Swiss
schwer difficult; serious; heavy
schwierig difficult
die Schwierigkeit, -en difficulty
schwitzen to perspire; to sweat
sechs six
sechzehn sixteen

der See, -s, -n lake
sehen (sieht), sah, gesehen to see
die Sehenswürdigkeit, -en point of interest
sehr very; very much
sein (ist), war, ist gewesen to be
seit since
die Seite, -n side; page; aspect
selb- same
selbst self; even
selbständig independent
das Selbstbestimmungsrecht, -(e)s right of
  self-determination
seltsam strange; odd
selten seldom
das Seméster, -s, - semester
seníl senile
servíeren to serve
sich setzen to sit down
(das) Sibírien Siberia
sicher safe; sure
sichtlich obvious
siegen to be victorious, win
der Sieger, -s, - victor
singen, sang, gesungen to sing
der Sinn, -(e)s, -e sense, meaning; es hat
  keinen Sinn it makes no sense
die Sitte, -n custom
die Situatión, -en situation
sitzen, saß, gesessen to sit
slawisch Slavic
so so; like that
sobáld as soon as
so dáß so that
sofórt at once, immediately
sogár even
sogenánnt so-called
der Sohn, -(e)s, ˵e son
solange as long
solch such
der Soldát, -en, -en soldier
sollen (soll) should; ought; to be supposed
  to
sondern but, on the contrary
der Sonnabend, -(e)s, -e Saturday
die Sonne, -n sun
der Sonntag, -(e)s, -e Sunday
der Sommer, -s, - summer
die Sommerferien summer vacation
die Souveränität sovereignty
soviel as much
so wie just as
die Sowjétunion Soviet Union
sowohl . . . als auch as well as

soziál social
der Soziáldemokrat, -en, -en Social
  Democrat
der Sozialist, -en, -en Socialist
die Spaltung, -en split; schism
spanisch Spanish
sparen to save
das Sparen, -s saving
spät late
das Spiel, -(e)s, -e play
spielen to play
spöttisch sarcastic
der Sport, -(e)s, -e sport
die Sprache, -n language
das Sprachgebiet, -(e)s, -e linguistic area
sprachlich linguistic
sprechen (spricht), sprach, gesprochen to
  speak
das Sprichwort, -(e)s, ˵er proverb; saying
der Spruch, -(e)s, ˵e saying
der Staat, -(e)s, -en state
der Staatenbund, -(e)s, ˵e federation of
  states
das Staatsbewußtsein, -s belief in one's
  country
der Staatsbürger, -s, - citizen
das Staatsgebiet, -(e)s, -e territory of the
  state
die Staatsoper, -n state opera
der Staatssekretár, -s, -e secretary of state
der Stacheldraht, -(e)s barbed wire
die Stadt, ˵e city
das Städtlein, -s, - small town
der Stamm, -(e)s, ˵e tribe
der Standpunkt, -(e)s, -e point of view
stark strong
stärken to strengthen
die Statístik, -en statistics
statt-finden, fand statt, stattgefunden to take
  place
der Status quo status quo
der Staudamm, -(e)s, ˵e hydroelectric dam
stehen, stand, gestanden to stand; es
  steht im Buch it is (written) in the book;
  es steht schlecht it is in bad shape; wie
  steht es what about
steigen, stieg, ist gestiegen to climb
der Stein, -(e)s, -e stone
steinreich immensely rich
stellen to put; to place; eine Frage stellen
  to ask a question
die Stellung, -en position
sterben (stirbt), starb, ist gestorben to die

der Stil, -(e)s, -e   style
still   quiet, still
stimmen   to be in accord with; das stimmt
   that's correct
stimmen für   to vote for
die Stimme, -n   vote; voice
der Stoff, -(e)s, -e   material
stolz   proud
die Straßenbahn, -en   streetcar
Strauß, Johann   *Austrian musician and
   composer (1825–1899)*
der Streik, -s, -s   strike
sich streiten   to quarrel
streng   strict
streuen   to strew
die Strophe, -n   verse
das Stück, -(e)s, -e   piece; part
der Studént, -en, -en   student
die Studéntenunruhen   student unrest
die Studéntin, -nen   coed
studíeren   to study
das Stúdium, -s, . . . ien   study
die Stunde, -n   hour; class
stürzen   to overthrow; to plunge
(sich) stützen auf   to rely on; to support
suchen   to seek; look for
(das) Südamerika   South America
süddeutsch   south Germany
der Süden, -s   south
südlich   south of, southern
der Südosten, -s   southeast
süß   sweet
das Symból, -(e)s, -e   symbol
sympathisíeren   sympathize
das Synoným, -(e)s, -e   synonym

T

der Tag, -es, -e   day
das Tagebuch, -(e)s, ¨er   diary
taktvoll   tactful
das Tal, -(e)s, ¨er   valley
das Talént, -(e)s, -e   talent
tanzen   to dance
tapfer   brave, courageous
die Tapferkeit   bravery
die Tat, -en   deed; act
die Tatsache, -n   fact
tausend   thousand
tausendjährig   thousand-year
der Teil, -(e)s, -e   part; teils   partly
teilen   to share
teil-nehmen (nimmt teil), nahm teil, teil-
   genommen   to participate

die Teilung, -en   division
teilweise   partly, in part
das Telefón, -(e)s, -e   telephone
temperaméntvoll   high-spirited, tempera-
   mental
die Temperatúr, -en   temperature
teuer   expensive
der Teufel, -s, -   devil
der Text, -(e)s, -e   word; text
die Textílindustríe, -n   textile industry
das Theáter, -s, -   theater
das Theáterstück, -(e)s, -e   play
das Thema, -s, -en   theme, topic
theorétisch   theoretical
die Theorié, -n   theory
der Thüringer, -s, -   Thuringian
die Tinte, -n   ink
der Titel, -s, -   title
die Tochter, ¨   daughter
der Tod, -(e)s   death
toleránt   tolerant
das Tor, -(e)s, -e   gate
tot   dead
der Touríst, -en, -en   tourist, traveller
die Traditión, -en   tradition
tragen, trug, getragen   to wear; to carry
die Tragik   tragedy
die Tragödie, -n   tragic drama *or* event,
   tragedy
trauen   to trust
trauern   to be sad, to mourn
traurig   sad
träumen   to dream
(sich) treffen (trifft), traf, getroffen   to meet;
   to hit
trennen   to separate
die Trennung, -en   separation
trinken, trank, getrunken   to drink
trocken   dry
trotzdem   nevertheless; all the same
die Trümmer   debris, rubble
die Truppe, -n   troop
der Tscheche, -n, -n   Czech
die Tschechoslowakéi   Czechoslovakia
die Tüchtigkeit   ability; efficiency
tun (tut), tat, getan   to do
typisch   typical

U

üben   to practice
über   about; over
überall   everywhere

übergroß oversized
überhaupt at all
überlegen to think over; to consider
übermorgen the day after tomorrow
übersetzen to translate
überspringen, übersprang, übersprungen to skip
überstehen, überstand, überstanden to endure
übrigens incidentally
die Übung, -en practice, exercise
die Uhr, -en clock; watch; um zehn Uhr at ten o'clock
um in order to; around; about
(sich) um-schauen to turn around; to look around
unabhängig independent
die Unabhängigkeit independence
unbeantwortet unanswered
unbedeutend unimportant
unbeliebt unpopular
unberechtigt unfounded
und and
unentschieden tie, drawn battle or contest
ungarisch Hungarian
(das) Ungarn Hungary
ungeduldig impatient
ungefähr approximately
unglaublich unbelievable
die Universität, -en university
unklug unwise
unmöglich impossible
die Unordnung disorder; disorderliness
unpolitisch nonpolitical
unproblematisch without problems
unreal unreal
unrecht unjustified; wrong
unschön not beautiful
unter under; among; below
unterdrücken to suppress
die Unterrichtssprache, -n language of instruction
der Unterschied, -(e)s, -e difference
unterschreiben, unterschrieb, unterschrieben to sign
der Untertan, -en, -en subject
unvermeidlich inevitable
unzufrieden dissatisfied
ursprünglich originally; at first
das Urteil, -(e)s, -e verdict, sentence; judgment
urteilen to judge
usw. = und so weiter and so forth

V

der Vater, -s, ∵ father
vaterländisch patriotic
Vaterländische Front *a conservative, religiously orientated political association in Austria between 1934 and 1939*
die Vaterstadt home town; native city
verallgemeinern to generalize
die Verallgemeinerung, -en generalization
veraltet outdated
(sich) verändern to change
verbessert corrected
verbieten, verbot, verboten to prohibit
der Verbrecher, -s, - criminal
verbringen, verbrachte, verbracht to spend
vereinen to unite
die Vereinigten Staaten United States
die Vereinigung unification
die Verfassung, -en constitution
verfolgen to pursue; to follow up
vergangen (*p.p.*) past
die Vergangenheit past
vergessen (vergißt), vergaß, vergessen to forget
der Vergleich, -(e)s, -e comparison
vergleichen, verglich, verglichen to compare
das Vergnügen, -s, - pleasure
verhaften to arrest
das Verhältnis, -ses, -se relation(ship)
verhandeln to negotiate
verheiraten to marry
verhindern to prevent
verkaufen to sell
verlassen (verläßt), verließ, verlassen to leave
verlegen (*adj.*) embarrassed
verlieren, verlor, verloren to lose
der Verlierer, -s, - loser
der Verräter, -s, - traitor
verrückt crazy, mad
versammeln to gather, assemble
die Versammlung, -en assembly
verschieden various, different
(sich) verschlechtern to deteriorate
der Verschwender, -s, - spendthrift
versprechen (verspricht), versprach, versprochen to promise
das Versprechen, -s, - promise
verständlich understandable
verstehen, verstand, verstanden to understand

der Versuch, -(e)s, -e attempt, test
versuchen to try, attempt
verteidigen to defend
verwenden to use
verwirklichen to realize; to accomplish
verzichten to renounce
viel much; viele many
vielleicht perhaps
vier four
das Volk, -(e)s, ⁻er people; nation
der Volkssport, -(e)s, -e national sport, pastime
die Volkssprache, -n vernacular speech
völlig complete(ly)
vom = von dem
von of; from; about
vor in front of; before; ago
vor allem above all
voraus ahead
die Vorbedingung, -en preliminary condition
vorbei-gehen, ging vorbei, ist vorbeigegangen to pass by
vor-bereiten to prepare
die Vorherrschaft predominance
vorhin a little while ago; just now
die Vorlesung, -en lecture (at a university)
der Vorort, -(e)s, -e suburb
der Vorschlag, -(e)s, ⁻e suggestion, proposal
vorstellen to imagine; sich vorstellen to introduce oneself

W

Wagner, Richard German composer (1813–1883)
wählen to choose; to elect
wahr true; nicht wahr? isn't it?
das Wahre truth, true one
während during; while
die Wahrheit truth
wahrscheinlich probably
der Waise, -n, -n orphan
der Wald, -(e)s, ⁻er woods, forest
waldreich rich in forests, woody
der Walzer, -s, - waltz
der Walzerkönig, -(e)s "king of the waltz" (= Johann Strauß)
das Walzertanzen, -s waltzing
die Wanderlust desire .to hike and to travel
wandern to hike

warm warm
warten to wait
warum shy
waschen, wusch, gewaschen to wash
das Wasser, -s, - water
der Wasserkopf, -(e)s, ⁻e hydrocephalus; large head
die Wasserkraft, hydroelectric power
wasserreich rich in water
der Wechsel, -s, - change
wechseln to change
weder . . . noch neither . . . nor
der Weg, -(e)s, -e way; road
weg sein to be gone
wegen because of; on account of
sich wehren to defend oneself
die Wehrmacht Armed Forces
weichen, wich, ist gewichen to retreat, to yield
weil because
die Weile while
weilen to stay
die Weimarer Republik The Weimar Republic (1919–1933)
der Wein -(e)s, -e wine
das Weinglas, -es, ⁻er wine glass
weinen to cry
weiß white
weit far
weitblickend far-sighted
weiter further
weiter-fahren (fährt weiter), fuhr weiter, ist weitergefahren to drive on
weitersprechen (spricht weiter), sprach weiter, weitergesprochen to continue talking
weitgehend extensive, far-reaching
welch which, what
die Welt, -en world
die Weltherrschaft world domination
der Weltkrieg, -(e)s, -e world war
die Weltwirtschaftskrise Great Depression
wenig little; weniger less
wenigstens at least
wenn when; if
wer who
werben (wirbt), warb, geworben to make propaganda for; to advertise
werden (wird), wurde, ist geworden to become
der Wert, -(e)s, -e value
wertlos worthless
wesentlich essential

(das) Westdeutschland   West Germany
der Westen, -s   West
das Wetter, -s   weather
wichtig   important
die Wichtigkeit   importance
sich widersetzen   to resist
wie   how; as
wieder   again
der Wiederaufbau, -(e)s   rebuilding, re-construction
das Wiedersehen, -s, -   reunion
die Wiedervereinigung   reunification
(das) Wien   Vienna
der Wiener, -s, -   Viennese
der Wiener Kongreß   Congress of Vienna (1814–1815)
das Wiener Schnitzel, -s, -   Viennese veal cutlet
die Wiese, -n   meadow
wieviel   how much; wie viele   how many
wild   wild
wildern   to hunt illegally; to poach
der Wille, -ns   will
der Winter, -s, -   winter
wirklich   real
die Wirklichkeit   reality
wirtschaftlich   economic
die Wirtschaftskrise, -n   economic crises
das Wirtschaftswunder, -s, -   economic miracle
wissen (weiß), wußte, gewußt   to know
die Wissenschaft, -en   science; scholarship
der Witz, -(e)s, -e   joke
wo   where
woanders   somewhere else
woher   where from
wohin   where to
das Wochenend(e), -s, -en   weekend
wöchentlich   weekly
wohl   probably; indeed
wohnen   to live
das Wohnhaus, -es, ¨er   apartment house
die Wohnung, -en   apartment
die Wohnungsnot   housing shortage
wolkig   cloudy
wollen (will), wollte, gewollt   to want to, wish
das Wort, -(e)s, -e   word, saying
das Wort, -(e)s, ¨er   (single) word
das Wörterbuch, -(e)s, ¨er   dictionary
das Wunder, -s, -   wonder; kein Wunder   no wonder
wunderbar   wonderful

der Wunsch, -es, ¨e   wish
wünschen   to wish

Z

die Zahl, -en   number
zahlen   to pay
zählen   to belong to; to count
das Zaubermärchen, -s, -   fairy tale
zehn   ten
zeigen   to show; to point
die Zeit, -en   time; die Zeit ist um   time is over
der Zeitpunkt, -(e)s, -e   (point of) time, moment
die Zeitung, -en   newspaper
zensieren   to censor
die Zensúr   censorship
zentralisíert   centralized
das Zentrum, -s, -tren   center
zerfallen (zerfällt), zerfiel, ist zerfallen   to disintegrate
zerreißen, zerriß, zerissen   to tear to pieces
die Zersplitterung   fragmentation
zerstören   to destroy
die Zerstörung, -en   destruction
das Zeugnis, -ses, -se   report card
ziemlich   fairly
der Ziegel, -s, -   brick
das Zimmer, -s, -   room
die Zimmerleute   carpenters
die Zollunión, -en   customs union
die Zonengrenze, -n   border between zones
zornig   angry
zu   to; at
zueinander   to each other
zuerst   first
der Zufall, -(e)s, ¨e   coincidence, chance
zufrieden   satisfied, content
zu-hören   to listen
die Zukunft   future
zuletzt   last; for the last time
zur = zu der
zurück-gehen, ging zurück, ist zurück-gegangen   to go back
zurück-kommen, kam zurück, ist zurück-gekommen   to come back
zurück-treten (tritt zurück), trat zurück, ist zurückgetreten   to resign
zusammen-brechen (bricht zusammen), brach zusammen, ist zusammengebrochen   to collapse

zusammen-führen to bring together
(sich) zusammen-schließen, schloß zusammen, zusammengeschlossen to unite; to join closely
der Zuseher, -s, - spectator
zuviel too much
die zwanziger Jahre twenties
zwar indeed, to be sure
der Zweck, -(e)s, -e purpose
zwei two

das Zweifamilienhaus, -es, ⁼er two-family house
der Zweifel, -s, - doubt
zweifellos doubtless
zweit- second
der Zwergstaat, -(e)s, -en dwarf state; very small country
zwischen between
zwölf twelve